D1232177

# ÉRIC DUHAIME

# LIBÉREZ-NOUS DES SYNDICATS!

LES ÉDITIONS
GENEX

Texte : Éric Duhaime
Illustration : Audrey Veilleux
Crédit photo : Sol Photographe
Production : Jonathan Leclerc
Révision : Luc DelaSablonnière, Suzanne Côté, Nathacha Gilbert
Impression : Solisco
Distribution : Messageries de presse Benjamin

Les Éditions Genex
214, avenue St-Sacrement
Entrée 3 - Bureau 230
Québec (Québec)  G1N 3X6
Téléphone : 418 266-6166

ISBN 978-2-9813744-0-0
Dépôt légal - Bibliothèque et Archives nationales du Québec, 2013
Dépôt légal - Bibliothèque et Archives Canada, 2013

## AU TRAVAILLEUR INCONNU

À celui qui a le cœur de se lever tôt, de partir travailler avec sa boîte à lunch pour nourrir sa famille, de payer ses taxes et impôts, de verser des centaines de dollars en cotisations syndicales obligatoires et d'essayer de mettre quelques piastres de côté en vue de se permettre deux semaines de vacances par année. À celui qui n'a pas le temps ni l'envie de se consacrer à l'activisme syndical.

### Avertissement

Toute promotion ou diffusion de cet essai pourrait provoquer votre expulsion du syndicat, tout en vous obligeant à continuer de payer vos cotisations.

# AVANT-PROPOS

De plus en plus de Québécois souhaitent une réforme en profondeur de l'État. L'appétit des gens pour d'importants changements est là. Plusieurs n'ont déjà qu'une seule question aux lèvres : On veut bien revoir de fond en comble notre «modèle», mais par où doit-on commencer?

Par l'attente inacceptable dans notre réseau de la santé? Par le taux de décrochage anormalement élevé de nos jeunes garçons? Par l'explosion des coûts de nos CPE? Par notre endettement public astronomique? Par notre Régie des rentes où notre régime de retraite se vide?

Les chantiers semblent si nombreux à entreprendre qu'on a l'impression qu'il faudrait mettre des cônes oranges pratiquement sur tout ce qui est public et s'éparpiller aux quatre coins de la province pour débuter les travaux majeurs de rénovation tant attendus. Le Québec au grand complet ressemblerait à peu près au trajet cauchemardesque auquel sont quotidiennement confrontés les automobilistes montréalais.

Personnellement, je ne suis peut-être pas certain de l'endroit où cette corvée nationale de mise à niveau doit débuter, mais une chose est claire : aucun de ces changements ne sera possible tant et aussi longtemps que l'on ne se sera pas débarrassé du pouvoir d'immobilisme donné, ces dernières décennies, aux grandes centrales syndicales québécoises. Ces syndicats sont devenus les principaux agents du statu quo, grassement financés par des cotisations, contre qui pratiquement personne ne peut aujourd'hui espérer rivaliser.

Le plus bel exemple de ce que je viens d'affirmer est sans doute la réaction du syndicat des enseignants, la CSQ, lorsque le chef de la Coalition Avenir Québec, François Legault, annonça l'année dernière ses intentions en matière d'éducation. Le leader caquiste proposa une évaluation des enseignants, accompagnée d'une hausse salariale de 20 %. Sans même consulter un seul membre, le président de la CSQ à l'époque, Réjean Parent, réagissait à chaud pour dénoncer le politicien qui proposait pourtant d'augmenter le salaire des professeurs de 20 % et cela, uniquement parce que monsieur Legault a eu le malheur de vouloir identifier les enseignants les moins performants et se donner éventuellement la possibilité de les congédier. Quel sacrilège!

Le message lancé par les Réjean Parent de ce monde est simple : le monopole syndical sera là, partout, pour empêcher la moindre remise en cause du statu quo. N'essayez même pas de dorer la pilule et de rendre cela avantageux pour les syndiqués. Ne pensez surtout pas toucher à un quelconque de leurs acquis. Les syndicats sont bien assis dessus et entendent les défendre bec et ongles.

Telle une pieuvre, les tentacules des syndicats s'étendent aujourd'hui dans chacune des sphères d'activités de nos vies. Leurs ventouses sont bien agrippées au roc de leurs conventions collectives pour que plus rien ne bouge. Des centaines d'autres organisations tapageuses dépendent aussi maintenant de ces grandes centrales, quand elles ne sont pas carrément leurs créatures. Pensez aux associations étudiantes, féministes, environnementalistes, autochtones et autres.

Cet essai vous démontrera que partout, ces lobbys obnubilés par leurs seuls privilèges grugent petit à petit notre patrimoine collectif et désagrègent, lentement mais sûrement, notre ciment social.

Nous en avons pourtant tous tellement marre de ce corporatisme rampant et nuisible. Ce fameux « modèle québécois » que les syndicats ont largement contribué à concocter ces dernières décennies n'a finalement plus rien d'un modèle et il est tout sauf québécois. Si c'était vraiment un modèle, d'autres l'imiteraient. Personne, nulle part dans le monde, n'accourt ici pour tenter d'importer notre interventionnisme d'État et les privilèges consentis aux syndicats. Il ne faut pas non plus avoir en haute considération l'histoire du Québec pour croire qu'il y a quelque chose de typiquement québécois dans la sclérose, le déclin et la dépendance économique, causés par la domination du discours syndical, et l'obésité de l'État qu'elle a enfantée, comme on le verra dans les prochains chapitres.

Historiquement, nos ancêtres ont défriché ce coin de terre au climat rude et hostile à force de travail. Le Québec dont nous avons hérité et dont nous devons être fiers est celui qui s'est construit, au fil des générations, à la sueur du front de femmes et d'hommes qui n'attendaient après personne, qui se sont pris en main et qui ont bossé sans compter les heures pour assurer un avenir meilleur à leur progéniture.

Ce qui nous a fait collectivement avancer et ce dont nous pouvons nous enorgueillir, c'est le travail bien fait de gens qui ont le cœur à l'ouvrage, certainement pas l'épaisseur des conventions collectives.

On a pourtant l'impression que ce véritable modèle universel de la prospérité humaine ne domine plus le paysage québécois des dernières décennies. Un nouveau « modèle » le concurrence désormais, qui se veut moderne et progressiste, où tous sont tentés d'utiliser la « solidarité sociale » afin de tirer un profit particulier au détriment de l'intérêt général. Bref, tout le monde cherche à s'en mettre plein les poches, sans se soucier une seconde de ceux et celles qui l'entourent, encore moins de ceux et celles qui suivront.

On évoque abondamment, dans notre société, un certain corporatisme affairiste qui tente d'enrichir une caste de « gras-durs », amis du pouvoir et cela, au détriment de l'intérêt général. Ce serait, selon certains, la source de tous nos maux.

C'est ce que les anglophones appellent judicieusement le « crony capitalism », soit un système économique de copinage entre gens d'affaires et représentants du gouvernement où se distribuent différentes faveurs. On peut penser spontanément à de nombreux exemples récents dont on a abondamment entendu parler : contributions politiques en échange de subventions, contrats d'asphaltage, crédits d'impôt ou même permis de garderies publiques.

Tout cela est évidemment scandaleux et largement dénoncé quotidiennement sur toutes les tribunes.

Ce qu'on tait cependant trop souvent est le même type de marchandage, mais cette fois-ci entre les politiciens et les syndicalistes : le corporatisme syndical. Pour une raison étrange, ce favoritisme serait aux yeux de certains plus acceptable ou, au minimum, moins immoral. En tous les cas, on en parle pas mal moins et en termes beaucoup plus nuancés.

En fin de compte, on s'imagine que l'homme d'affaires agirait à des fins strictement mercantiles et personnelles, alors que le syndicaliste intervient ultimement au nom et dans l'intérêt de ses membres, voire même de la société. Le premier ne serait qu'un vulgaire avare machiavélique, tandis que le second incarnerait un génie altruiste et démocrate.

À tort, on associe donc le premier type de corporatisme à la droite, alors que le second serait de gauche.

Or, dans le contexte québécois actuel, en l'absence quasi totale de droite religieuse, la polarisation entre la droite et la gauche oppose ceux qui, d'une part, réclament moins d'État et ceux qui, d'autre part, en souhaitent davantage.

Par conséquent, pour tous ceux qui croient véritablement à la liberté de marché (ceux qu'on étiquette à droite), les deux sont tout aussi détestables. Les deux pervertissent les bienfaits de l'économie libérale (libérale dans le sens philosophique, non dans le sens partisan). Quant à moi, ce sont deux formes de corporatismes similaires, et j'ajouterais même de gauche puisque, s'il faut les situer sur cet axe, toutes deux partent de la prémisse qu'il faut plus d'interventions de l'État pour améliorer leurs conditions particulières.

Qu'on tente de prendre la population en otage pour l'arnaquer en groupe ou individuellement ne change pas grand-chose en termes de résultat : l'honnête citoyen, travailleur et contribuable, s'en trouve dépouillé.

J'en ai marre de me faire dire que je défends les riches et les puissants contre le prolétariat parce que je ne souscris pas aux thèses syndicales dominantes. Mon expérience de vie personnelle m'a maintes fois prouvé exactement le contraire. Je n'oublierai jamais une prise de bec entre Henri Massé, l'ex-président de la FTQ, et Mario Dumont, alors chef de l'ADQ et aussi, à l'époque, mon patron. Monsieur Massé sortait d'une commission parlementaire et en profita pour épingler Mario parce qu'il n'appréciait pas que l'ADQ appuie un projet de loi du gouvernement libéral de l'époque permettant de faciliter la sous-traitance. Il accusa Mario d'être à la solde du patronat, de défendre les puissants contre le pauvre travailleur. La vieille rhétorique syndicale habituelle.

Mario esquiva les insultes et quitta sans faire tout un plat. Il était trop poli et bien élevé pour rappeler à Massé que lui, comme les autres députés de l'Assemblée nationale, gagnait à l'époque 73 500 $, comparé à plus de 140 000 $ pour le président de la FTQ. Mario aurait aussi pu lui répondre : « C'est ça mon Henri, continue à croire tes fictions en buvant les meilleurs crus au Louis-Hébert (restaurant cossu sur la Grande Allée, à deux pas de l'Assemblée nationale, bien fréquenté par la gauche caviar) puis demande ensuite à ton chauffeur d'aller te reconduire dans ton char payé par les travailleurs pendant que tu cuves ton vin à l'arrière de ta limousine. Moi, j'ai trois enfants pis une femme qui m'attendent à la maison. Je vais conduire moi-même ma minivan que j'ai payée avec mon argent pour aller rejoindre sobrement ma famille à Cacouna. »

On se faisait regarder avec dédain par ces syndicalistes-là, snobinards par-dessus le marché, parce qu'on était supposément du côté des « riches ». En réalité, à titre de conseiller principal de Mario, avec ma maîtrise en administration publique et 10 ans d'expérience, je gagnais moins qu'un réceptionniste à la FTQ et mon salaire n'équivalait qu'à une fraction du compte de dépenses de certains dirigeants syndicaux.

Si au moins ces leaders syndicaux prêchaient par l'exemple, menaient un train de vie modeste et faisaient preuve de grande proximité avec le peuple qu'ils prétendent défendre! On a souvent l'impression, au contraire, qu'ils mènent la vie des gens riches et célèbres. Ça les rend encore plus détestables. Ils ont tous des revenus dans les six chiffres. Ils sont copains-copains avec l'élite financière et politique. Ils en constituent en fait la crème de la crème. Une caricature de la gauche caviar.

Rappelez-vous quand on apprenait par hasard, parce que son fils avait dû être évacué à la suite d'un accident en Cessna, en août 2008, que l'ex-président de la FTQ, Henri Massé, prenait part à un voyage de pêche dans une pourvoirie de grand luxe dans le Grand Nord du Québec. Il était l'invité de son ami, le grutier Guay. Plusieurs hélicoptères privés participaient aussi à cette expédition.

Plus récemment, on découvrait que Michel Arsenault, l'actuel président de la FTQ, et Jean Lavallée, l'ex-président de la FTQ-Construction, avaient passé une semaine de vacances aux Bahamas, sur le luxueux yacht de l'homme d'affaires Tony Accurso. Radio-Canada révélait aussi, en décembre 2011, que le même Michel Arsenault avait reçu du même Tony Accurso un cadeau provenant de chez Birks, d'une valeur de plus de 12 000 $.

Au même moment, *Le Devoir* rapportait également que le même Jean Lavallée et un dirigeant du Fonds de solidarité de la FTQ, Louis Bolduc, avaient eu droit à des cures d'amaigrissement dans un centre de santé en Allemagne, aux frais de Tony Accurso toujours.

En connaissez-vous bien des gens qui partent en week-end dans l'hélicoptère d'un ami pour un voyage de pêche dans le Grand Nord avec leur fils, ou qui reçoivent de leurs chums des généreux cadeaux de 12 000 $ achetés chez Birks, ou qui ont les moyens de séjourner sur un yacht de 36 mètres qui se loue plus de 55 000 $ par semaine, ou qui se payent des cures amaigrissantes dans les meilleurs centres spécialisés en Europe? Et ça, comme dirait Jean Perron, c'est juste la pointe de l'asperge.

On a eu vent de ces histoires sur le train de vie royal de nos élites syndicales uniquement parce que le fils d'Henri Massé s'est blessé et parce que Tony Accurso s'est retrouvé sous la loupe des médias ces derniers mois. Sinon, on n'en aurait jamais entendu parler. Il y en a combien d'autres, des extravagances du même type, payées par des entrepreneurs privilégiés des syndicats ou carrément à même les cotisations syndicales des travailleurs?

Mais le «boute du boute» est de voir ces mêmes leaders syndicaux épouser, par exemple, la cause du mouvement *Occupy* pour dénoncer la concentration de la richesse dans les mains du 1 % des plus fortunés et se réclamer du 99 %. Quelle hypocrisie! À un moment donné, certains gauchistes devront se rendre à l'évidence et constater que leurs précieux alliés syndicaux SONT le 1 %!

Dans tous les cas, moi, pendant mes 15 années passées dans les officines du pouvoir à la Chambre des communes et à l'Assemblée nationale, jamais n'ai-je vu un lobby aussi riche, aussi omniprésent et aussi puissant. On est loin des prétentions de défense de la veuve et de l'orphelin.

À l'heure où le Québec fait la lumière sur la corruption et la collusion dans l'industrie de la construction et entreprend de grandes réformes en vue de combattre le corporatisme de copinage, le moment semble bien choisi pour s'attaquer également à l'autre corporatisme, celui des syndicats, qui asphyxie tout autant, sinon davantage, notre société.

Pendant qu'on vit pratiquement au rythme des révélations chocs à la Commission Charbonneau, qu'on sort d'une grave crise étudiante largement financée par ces mêmes syndicats et qu'on vient d'élire un nouveau gouvernement du Parti québécois, qui pratique ouvertement le copinage avec les syndicats, n'est-ce pas le moment idéal pour nettoyer les écuries québécoises de nos relations de travail? Le «timing» ne peut être meilleur!

Quand l'envie m'est venue d'écrire ce deuxième essai, je ne pouvais traiter autre chose que cette forme de magouillage : celle des leaders syndicalistes à la tête des grandes centrales.

La première personne avec qui j'ai partagé l'idée de ce projet fut ma mère. Pour une raison que je m'explique encore mal, sa réaction fut extrêmement négative. Voici en vrac quelques-unes des phrases qu'elle me lança : « T'as pas peur des représailles? », « Tu t'attaques à bien trop gros », « Veux-tu te faire tuer? », « N'écris pas là-dessus » et « Trouve-toi un autre sujet. »

En fait, la crainte que je lisais alors dans ses yeux était plus grande encore que celle aperçue, quelques années plus tôt, quand je lui ai annoncé que j'allais travailler à Bagdad pendant la guerre du Golfe.

Sans qu'elle le veuille, ma mère venait de me convaincre que je devais absolument écrire ce livre! Il faut briser cette loi du silence, cette omertà malsaine, et débattre haut et fort sur la place publique, dès maintenant, de ce que sont devenus nos syndicats québécois tout puissants.

*

*                    *

Tout au long de cet essai, vous remarquerez que je n'ai aucune note en bas de page ni même de bibliographie à la fin de l'ouvrage, comme ce fut également le cas de mon premier essai *L'État contre les jeunes : Comment les babyboomers ont détourné le système*.

Cette absence est délibérée. Je voulais éviter la confusion des genres. Les citations ou références à des études ou à des statistiques, tout au long du texte, sont généralement accessoires et secondaires pour étayer mon propos.

J'ai écrit un pamphlet politique, pas une étude scientifique. J'exprime, d'abord et avant tout, mes opinions.

# 1

# INTRODUCTION

En théorie, le concept de syndicat signifie une association qui a pour objectif de défendre l'intérêt du travailleur. Toute société libre et démocratique doit reconnaître ce droit fondamental. Qu'un ouvrier veuille déléguer à un tiers son pouvoir de négocier ses conditions de travail en échange d'une cotisation versée à cette organisation n'a absolument rien de répréhensible. Au contraire, il s'agit même d'un service professionnel des plus respectables.

Le mouvement syndical au Québec évoquait, il y a plus d'un demi-siècle, une organisation de défense des travailleurs au sens traditionnel, souvent au service de ceux qui ne possédaient même pas un diplôme de cinquième secondaire et plus exposés à diverses formes d'exploitation par des patrons abuseurs. Avec le temps, cette organisation en viendra cependant à défendre des gens privilégiés par rapport aux autres travailleurs, notamment des fonctionnaires qui ne sont pas forcément soumis aux mêmes règles du marché et qui n'ont pas à se soucier des aléas de la conjoncture économique. Statistique Canada nous apprend qu'aujourd'hui, le taux de syndicalisation atteint plus de 71 % dans le secteur public, comparativement à 16 % dans le secteur privé. Au sein des entreprises de moins de 20 employés, ces PME qui constituent le moteur de l'économie québécoise, ce taux descend même à un maigre 12 %.

D'une force de changement légitime, rebelle et contestataire au service des plus vulnérables, le syndicalisme s'est donc transformé en défenseur des travailleurs les plus choyés, dont certains sont blindés par des lois et des règlements protectionnistes. Il s'acoquine de nos jours facilement avec le pouvoir politique et public en vue de soutirer des faveurs payées par l'ensemble de la société. Maintenant que son modèle a été érigé en système, cette force, comme nous le verrons, ne veut absolument plus rien changer, de peur de perdre ses acquis. Les centrales syndicales sont ainsi véritablement devenues la principale source d'inertie qui empêche aujourd'hui le Québec de se moderniser. De progressiste, le syndicat s'est métamorphosé en réactionnaire.

Quand on pense que le Québec est la province affichant le plus haut taux de syndicalisation au Canada, et même en Amérique du Nord, on peut être romantique et vouloir croire que les résultats sont bénéfiques sur le niveau de vie des travailleurs. Rien n'est pourtant plus faux si on se compare à nos voisins. La présence de ces centrales corporatistes est accompagnée de niveaux d'emplois comparativement plus faibles, d'un nombre de chômeurs plus élevé, de dettes publiques beaucoup plus importantes et d'un taux d'investissement privé rachitique.

L'économiste Norma Kozhaya dressait, il y a quelques années, un tableau sur la relation entre le taux de syndicalisation et le chômage canadien et américain. On voyait clairement que plus le taux de syndicalisation d'un État ou d'une province est élevé, plus le chômage l'est aussi. De plus, Madame Kozhaya citait une étude de l'Industrial and Labour Relations Review pour démontrer «qu'une industrie à un taux de syndicalisation moyen a un taux d'investissement brut en capital inférieur de 18 % à 25 % comparé à une industrie non syndiquée». Quant à l'investissement en recherche et développement, il baisse de 28 % à 40 % lorsque l'industrie est fortement syndiquée.

Contrairement à ce que certains affirment, on ne peut absolument pas prétendre qu'un taux de syndicalisation plus élevé signifie de meilleures conditions pour l'ensemble des travailleurs.

On observe également que l'écart des salaires entre les travailleurs les plus qualifiés et les moins qualifiés est de plus en plus faible dans les milieux syndiqués. Le syndicat encourage ainsi la sous-scolarisation, la sous-performance et la dévalorisation des plus ambitieux. Bref, une certaine forme de nivellement vers le bas.

Au cours des trois dernières décennies, le taux de syndicalisation est en chute libre en Occident, pratiquement partout... sauf au Québec! Notre village gaulois du syndicalisme résiste à la tendance observée dans la très vaste majorité des pays industrialisés.

Il ne faut cependant pas s'en étonner outre mesure puisque notre gouvernement accorde tellement de privilèges aux syndicats qu'on se demande bien comment ils pourraient perdre de leur surpoids : un Code du travail avec un préjugé favorable aux syndicats, une obligation faite à deux travailleurs sur cinq de payer des cotisations syndicales, des votes non secrets tolérés (lorsqu'on daigne laisser les travailleurs voter), des cotisations déductibles d'impôt, des prestations de grève non imposées, des avantages fiscaux au Fonds de solidarité de la FTQ et au Fondaction de la CSN. La liste pourrait continuer encore longtemps, mais nous reviendrons sur chacun de ces points.

À force de nourrir une bête, elle finit par engraisser et souffrir d'embonpoint. Il est peut-être temps de la forcer à suivre un sévère régime minceur, autant pour sa propre santé que celle de notre économie.

Pratiquement tous ceux qui analysent sérieusement la montée de l'emprise syndicale sur la société québécoise au cours du dernier demi-siècle finissent par établir un parallèle avec la domination de l'Église catholique romaine avant la Révolution tranquille.

La séparation entre l'Église et l'État aura été un processus long et pénible qui contribua, certes, à moderniser le Québec. Malheureusement, on a trop souvent l'impression qu'au lieu de s'être débarrassé des sermons de nos curés, on les a simplement remplacés par les discours de nos leaders syndicaux. Comme l'écrivaient Brigitte Pellerin et Réjean Breton : «Les Québécois des années 1950 s'en remettaient à la divine Providence. Aujourd'hui, ils s'en remettent à l'État-providence. Le pouvoir syndical a remplacé le pouvoir religieux.»

Dans le documentaire *L'Illusion tranquille* de Joanne Marcotte, le chercheur Mathieu Laberge arrive au même constat : «Les élites syndicales sont rendues, un peu, dans le fond, nos prédicateurs modernes, pis, ce que ça a donné, c'est qu'on a simplement changé quatre trente sous pour un dollar.»

Le frère Untel, Jean-Paul Desbiens, abonde dans le même sens : « Y'a certainement ce parallèle que l'on peut faire entre le monopole syndical actuel et le monopole idéologique et de fait qu'avait le clergé sur une grande partie du système scolaire d'avant 1960. »

Le Québec n'aurait donc jamais réussi à sortir l'Église de l'État. Lors de la Révolution tranquille de 1960, on aurait simplement changé de religion. On est passé de la Sainte-Trinité du père, du fils et du Saint-Esprit à celle du père FTQ, du fils CSQ et de la Sainte-CSN.

Le problème avec ces religions, catholique ou syndicale, vient du fait qu'on a affaire à des religions d'État plutôt qu'à des organisations qui laissent les gens libres d'y adhérer ou non. Pire, elles se permettent même, lorsqu'elles dominent le débat, de nous dire comment voter, quelles lois adopter et quels privilèges leur octroyer.

Hier, les curés lançaient le mot d'ordre à leurs fidèles d'appuyer l'Union nationale de Maurice Duplessis. Aujourd'hui, les syndicalistes invitent leurs membres à soutenir le Parti québécois de Pauline Marois ou, plus hypocritement, à ne pas voter pour la CAQ ou le PLQ.

Deux époques, mais une seule et même vieille rengaine. Ce clergé, endoctriné par le Vatican ou par l'international socialiste, descend dans l'arène politique pour tenter d'influencer le vote et s'assurer d'élire celui ou celle qui défendra le mieux ses intérêts corporatistes. Il investit le politique en attendant le retour d'ascenseur.

Il me semble pourtant que les Québécois sont capables de se prendre en main et de devenir véritablement indépendants. Je ne fais pas exclusivement référence, ici, à la question constitutionnelle qui nous divise depuis trop longtemps. Je pense aux honnêtes travailleurs qui sont capables de s'affranchir du paternalisme syndical aussi bien que nos parents et nos grands-parents furent capables de se débarrasser du catholicisme moralisateur.

Séparer l'État des syndicats, ça se fait et doit se faire!

Il y a une trentaine d'années, l'Angleterre, sous le leadership de Margaret Thatcher, entreprit des réformes majeures en ce sens qui portèrent fruit. Aux prises avec les grèves des mineurs et l'activisme syndical d'une autre époque, la dame de fer déclara dans une longue, mais combien pertinente citation dans le contexte québécois d'aujourd'hui : «En fait, je pense que les syndicats forment un lieu où une minorité de fanatiques semble capable de prendre le contrôle du syndicat au complet pour ensuite se dire représentante légitime majoritaire. Quelques-unes de leurs méthodes sont de tenir des rencontres à la dernière minute, dans un endroit peu ou non publicisé. On peut retrouver la même chose chez les associations étudiantes. Là où ceux qui font preuve d'ardeur dans leur travail ne peuvent se permettre d'aller à une rencontre pour se retrouver à attendre éternellement et ensuite réaliser que le vote n'aura pas lieu tant qu'il ne restera que quelques étudiants, les plus fanatiques. Cela, j'ai bien peur, est devenu la norme en Grande-Bretagne et dans d'autres pays. Nous devons faire attention, parce qu'ils ne sont pas les vrais représentants de la majorité. D'ailleurs, ils enlèvent le droit de s'exprimer à la majorité, car ils savent qu'elle n'appuiera pas cette petite minorité. » (traduction libre)

Pendant ses années passées au 10 Downing Street, madame Thatcher fera d'ailleurs le ménage dans les lois du travail pour s'assurer que cette minorité de fanatiques perde le contrôle de l'agenda politique en adoptant notamment des mesures sur le vote secret lors de scrutins d'accréditation syndicale et sur le déclenchement d'une grève, s'assurant même que certains bulletins de vote soient envoyés par la poste.

Il en résultera d'ailleurs une chute prononcée du taux de syndicalisation britannique. Selon les données de l'Organisation de coopération et de développement économiques (OCDE), en 30 ans, de 1980 à 2010, le taux de syndicalisation des travailleurs anglais est passé de 50,7 % à 26,5 %. Bien qu'historiquement moins syndiqués, nos voisins états-uniens ont vécu pratiquement le même phénomène ; le taux de syndicalisation des travailleurs américains passait de 22,3 % à 11,4 %. Comme nous le constaterons lorsque l'on compare les États américains entre eux, cette baisse du taux de syndicalisation s'accompagne d'une amélioration du marché du travail.

L'Australie enregistrera un déclin du syndicalisme encore plus impressionnant, passant de 48 %, en 1980, à 18 %, en 2010. Nos cousins français suivirent la même tendance avec un faible pourcentage de travailleurs syndiqués à 18,3 %, en 1980, et un encore plus faible à 7,6 %, en 2008.

Bien que notre taux de syndicalisation baisse aussi durant la même période au Canada, le recul reste beaucoup plus modeste. De 34 % des travailleurs syndiqués en 1980, il en reste 27,5 % en 2010.

Pendant ce temps, dans le village gaulois syndicalo-québécois, le taux de syndicalisation augmente, passant de 35,9 %, en 1980, à 36,3 %, en 2011. Nous irions à rebours du progrès observé pratiquement partout ailleurs!

Pourtant, notre économie se transforme et nécessite de moins en moins de travailleurs syndiqués. Comme le reste du monde développé, nous passons d'une économie industrielle à une économie du savoir, dans laquelle il y aura de plus en plus de PME ou de travailleurs autonomes et de moins en moins d'usines ou de fonctionnaires. Mais les syndicats québécois, à contre-courant de la tendance mondiale, réussissent à faire augmenter leur nombre de cotisants. Tantôt, ils mettent la patte, avec la complicité des gouvernements, sur 15 000 éducatrices en milieu familial comme la CSN l'a fait en 2010. À un autre moment, ils s'attaquent aux dépanneurs Couche-Tard, à Wal-Mart ou à d'autres entreprises du secteur privé qui n'ont pas nécessairement un modèle d'affaires propice à la syndicalisation. Ils tentent même, maintenant, de syndiquer des travailleurs autonomes. Bref, n'importe quoi pour faire augmenter les revenus syndicaux et leurs effectifs, sans nécessairement se soucier de la santé économique du Québec.

On est à des années-lumière de la réalité du pauvre petit travailleur naïf abusé par son patron dans le monologue d'Yvon Deschamps d'il y a 40 ans, *Les Unions qu'ossa donne?*. Pourtant, on continue d'agir comme si c'était le cas.

Le coloré Michel Chartrand, un des pères du syndicalisme québécois, avait peut-être raison de s'époumoner à dénoncer le traitement des ouvriers de l'industrie de l'amiante à Asbestos, en 1949, ou celui d'autres grandes multinationales étrangères venues « exploiter » nos ressources naturelles et humaines.

Les conditions des employés dans le Québec d'aujourd'hui n'ont plus rien à voir avec ces discours folkloriques. Il n'est plus vrai que les syndicats se battent pour dénoncer les injustices ou assurer un minimum décent à ceux qui travaillent fort. Au contraire, ils se battent aujourd'hui pour des mesures qui vont à l'encontre du bien commun, par exemple lorsqu'ils s'opposent à la lutte aux déficits publics ou au congédiement de fonctionnaires totalement incompétents.

Tout au long de la rédaction du présent ouvrage, j'ai réclamé sur les réseaux sociaux, principalement sur ma page de *fans* Facebook, que mes amis virtuels partagent avec moi leurs expériences et leurs interactions avec leur syndicat. Vous avez été par centaines, sinon milliers, à me répondre périodiquement, parfois sur mon mur, plus souvent dans des messages privés par crainte de représailles. Certains ont même tenu à me parler de vive voix, d'autres à me poster anonymement de l'information écrite pour mieux documenter comment leur syndicat ne remplissait pas son mandat ou se foutait complètement de ses membres. Sans que ce soit mon but, j'ai un peu servi d'exutoire pour des travailleurs syndiqués qui n'ont pratiquement pas de recours contre leurs prétendus « représentants » syndicaux. J'ai pu consigner, dans les pages qui suivent, quelques-unes de ces expériences concrètes pour illustrer mon propos. Ça aide à mettre des visages humains, des histoires vécues, et à alimenter le débat sur la superpuissance des syndicats.

# 2

## BREF HISTORIQUE DU MOUVEMENT SYNDICAL AU QUÉBEC : FTQ, CSN ET CSQ

Pour comprendre le syndicalisme d'aujourd'hui, il faut savoir d'où il vient et comment il a évolué.

L'histoire du syndicalisme québécois remonte au début du 19ᵉ siècle, où on assiste déjà aux premiers pseudo-syndicats. Des travailleurs se regroupaient alors pour des motifs religieux ou dans le but de faire part de leurs revendications à leurs employeurs. N'ayant pas les moyens d'aujourd'hui, ces associations demeuraient relativement petites, mal organisées et assez sporadiques.

Toutefois, avec le temps, on aperçoit de véritables associations ouvrières prendre forme. Certaines sont créées pour offrir aux employeurs les services de leurs membres à un taux horaire minime, agissant en quelque sorte comme une agence de placement. À cette époque, la plus grande revendication des travailleurs était la réduction de la journée de travail à 10 heures au lieu des 12 heures habituelles.

Ces travailleurs – qui se battaient pour ce qui nous semble aujourd'hui la moindre des choses – agissaient souvent dans l'illégalité. Les travailleurs pouvaient s'associer comme ils le voulaient, mais les syndicats n'avaient aucune reconnaissance légale. Et ils ne pouvaient pas contraindre les employeurs à la négociation collective. Des lois britanniques servaient aussi à dissuader les travailleurs de se rassembler. Les policiers réglaient d'ailleurs leurs « problèmes » assez vite. Ils ne faisaient pas que suivre les protestataires à vélo pour s'assurer que personne ne se blesse, comme on a pu le voir quotidiennement dans les rues de Montréal lors de la crise étudiante de 2012.

Il faudra que les travailleurs attendent jusqu'en 1872 pour qu'une loi fédérale, la Loi des syndicats ouvriers, adoptée par le gouvernement conservateur de Sir John A. Macdonald, décriminalise les syndicats et leur permettent de sortir de la clandestinité. Cette loi permettait aux syndicats de faire des revendications au nom des travailleurs. Implicitement, la loi reconnaissait aussi le droit de grève. Toutefois, de façon générale, les employeurs et les policiers continuaient de faire la vie dure aux ouvriers, ce qui provoquait des conflits de travail.

Le rapport de force était à l'époque à l'opposé de celui d'aujourd'hui. Les luttes syndicales avaient une légitimité que nos syndicalistes à limousines n'ont plus.

## Syndicats internationaux versus catholiques

Vers 1860, les syndicats internationaux des États-Unis décident de s'inviter au Canada pour mener leurs batailles des deux côtés de la frontière. Leur stratégie est assez facile à comprendre : si les conditions de leurs voisins canadiens s'améliorent, le rapport de force des travailleurs américains face à leurs employeurs s'en trouve renforcé. Les syndiqués canadiens voient aussi des avantages à s'allier à leurs confrères américains : les syndicats internationaux ont de l'argent et leurs membres ont de bien meilleures conditions de travail.

Cette percée des syndicats internationaux venus des États-Unis, dans un contexte d'industrialisation et d'exode rural, inquiète le pouvoir religieux québécois d'antan.

Il faut dire que l'Église catholique ne tenait pas en grande estime tout ce qui était étranger au nationalisme de l'époque. En d'autres mots, le clergé québécois prêchait ouvertement des valeurs qu'on qualifierait probablement aujourd'hui d'antiaméricaines, d'anti-anglo-saxonnes et d'antiprotestantes. Avec pour objectif de protéger la foi catholique et le mode de vie traditionnel du bon habitant canadien-français, le pouvoir religieux prônait le retour à la terre et une certaine forme de corporatisme. Nos écologistes modernes seraient fiers de ce clergé qui faisait la promotion d'un mode de vie à l'empreinte carbonique nulle. Les employeurs étaient invités à trouver la force morale de s'éloigner de la recherche du profit et à trouver leur satisfaction dans l'amélioration du bien-être de leurs employés.

Cette vision quelque peu idyllique et utopique céda éventuellement la place à une stratégie plus réaliste pour contrecarrer l'avancée fulgurante des syndicats internationaux dans les deux premières décennies du 20e siècle et en particulier pendant la Première Guerre mondiale. Il fallait combattre le feu par le feu en acceptant l'industrialisation et la montée du syndicalisme, mais en barrant la route aux syndicats laïcs d'origine américaine pour diriger les travailleurs vers des associations catholiques. La formation de syndicats catholiques mènera à la création, en 1921, de la Confédération des travailleurs catholiques du Canada (CTCC), l'ancêtre de la CSN comme on le verra plus loin.

Entre 1921 et la fin de la Deuxième Guerre mondiale, en 1945, ce sont surtout les syndicats catholiques qui verront leur *membership* augmenter substantiellement.

On voit bien que définir la nature et le rôle des syndicats dans cette société, c'est définir aussi la société dans laquelle nous vivons.

## Syndicats de métiers versus syndicats industriels

Il faut aussi savoir qu'au début du syndicalisme, et peu importe l'endroit en Amérique du Nord, les ouvriers s'associaient par métier et non par usine. Les syndicats internationaux préféraient d'ailleurs cette façon de faire, qui donna naissance à la Fédération américaine du travail (FAT), fondée en 1886. Selon elle, la solidarité reliée au métier pratiqué était plus avantageuse que le sentiment d'appartenance à une entreprise. Donc, dans une même usine, en fonction de son métier, un employé pouvait avoir de meilleures conditions de travail qu'un autre collègue qui devait se contenter d'un sort moins enviable.

Mais les opinions et les stratégies changent au fil des ans, ce qui donnera naissance, en 1938, au Congrès des organisations industrielles (COI), une confédération de syndicats qui prônent le regroupement par industrie plutôt que par métier. Cette façon de faire s'exporte finalement au Canada sous la forme du Congrès canadien du travail (CCT), fondé en 1940, et qui connaîtra, à ses débuts, une croissance très lente au Québec.

## La Loi des relations ouvrières de 1944 et la formule Rand de 1946

En 1935, alors que le continent vit la plus grande récession de son histoire, le président démocrate américain Theodore Roosevelt approuve l'entrée en vigueur de la Loi Wagner. Cette loi codifie notamment le droit des syndicats à la négociation collective et oblige les parties à négocier « de bonne foi ».

La législation américaine va inspirer, au Québec, le gouvernement libéral d'Adélard Godbout qui, en 1944, adopte une loi similaire, la Loi des relations ouvrières, qui instaure un processus d'accréditation des syndicats que les employeurs ont l'obligation de reconnaître. Ce processus est placé sous la supervision d'un nouvel organisme, la Commission des relations ouvrières, ancêtre de l'actuelle Commission des relations du travail.

Le 29 janvier 1946, le juge Ivan Rand de la Cour suprême du Canada, dans une sentence arbitrale connue sous le nom de la formule Rand, rend les cotisations syndicales obligatoires pour certaines industries. Son jugement contenait toutefois trois parties pour équilibrer les forces entre syndicats et employeurs, alors que maintenant, seulement la première partie sur les cotisations obligatoires survit. Nous y reviendrons au chapitre 4.

Au Québec, les débuts du pouvoir syndical moderne protégé par l'État remontent donc au milieu des années 40 et mettent la table à la Révolution tranquille de 1960.

## Les grandes centrales actuelles : FTQ, CSN et CSQ

La deuxième moitié du 20$^e$ siècle a été marquée par un important mouvement de fusions de syndicats et d'expansion qui est à l'origine des grandes centrales telles que nous les connaissons aujourd'hui.

**La FTQ** – En 1957, les deux centrales internationales concurrentes de la province, la Fédération provinciale du travail du Québec (FPTQ) et la Fédération des unions industrielles du Québec (FUIQ), s'unissent et donnent naissance à ce qui est encore aujourd'hui notre plus gros syndicat : la FTQ. Avec cette fusion, le Québec ne faisait que copier le mouvement amorcé aux États-Unis où une centrale de syndicats de métiers (la FAT) et une centrale de syndicats industriels (le COI) s'étaient unies pour donner naissance à la FAT-COI. Le Québec suivait aussi les développements survenus au Canada puisqu'en 1956, le Congrès canadien du travail (CCT) s'était joint au Conseil des métiers et du travail du Canada (CMTC) pour devenir le Congrès du travail du Canada (CTC).

Le CTC est encore aujourd'hui le porte-étendard du mouvement syndical canadien et la FTQ y est formellement associée, même si elle est devenue de plus en plus autonome au fil des ans. La FTQ agit encore avec le CTC, mais elle réclame et obtient un statut privilégié à compter de 1974. Loin de se resserrer, les relations continuent de se distendre et, depuis 1993, on peut parler de « souveraineté-association » entre les deux centrales : la FTQ obtient la gestion pleine et entière de ses affaires tout en demeurant officiellement affiliée au CTC.

**La CSN** – En 1960, la Confédération des travailleurs catholiques du Canada amorce elle aussi sa transformation pour devenir la CSN. Pour suivre l'évolution de la société (et surtout pour récolter plus de cotisations!), la centrale change de visage en devenant complètement laïque. Le mot « catholique » commence par disparaître. Puis c'est l'aumônier qui prend le bord. Finalement, il n'y a plus aucune obligation d'appartenir à la religion catholique pour faire partie de la nouvelle Confédération des syndicats nationaux. Encore une fois, on constate que l'évolution du syndicalisme s'accompagne d'une évolution sociale plus globale.

**La CSQ** – Il faudra attendre 1945 pour qu'une vraie puissance syndicale fasse ses débuts dans le monde de l'éducation, avec la fondation de la Corporation générale des instituteurs et institutrices catholiques de la province de Québec (CIC). En 1967, la centrale perd elle aussi son statut confessionnel et change de nom pour devenir la Corporation des enseignants du Québec (CEQ). Seulement sept ans plus tard, en 1974, elle se rebaptise à nouveau pour devenir la Centrale de l'enseignement du Québec (CEQ), ce qui lui permet de devenir une association de travailleurs et travailleuses et non plus exclusivement une centrale d'enseignantes et d'enseignants. Elle veut regrouper dans ses rangs tous les syndiqués reliés au domaine de l'éducation et n'hésite pas à changer de nom pour se faire plus inclusive et mettre la main sur de nouvelles cotisations. En

2000, elle devient finalement la Centrale des syndicats du Québec, et ce, dans le but de rassembler toujours plus de membres, même parmi les autres sphères sociales comme les loisirs, la culture ou même la santé.

Les trois grandes centrales syndicales du Québec sont ainsi nées, chacune d'elles étant devenue un véritable mammouth à force d'accueillir de nouveaux membres, d'intégrer de nouveaux syndicats affiliés et d'engranger davantage de cotisations.

Mais la puissance dont elles disposent individuellement ne leur suffit pas! Quand les centrales décident qu'il est temps de faire trembler le gouvernement et de piger davantage dans les poches des contribuables, elles mettent ensemble leur poids déjà colossal pour parler d'une seule et même voix. C'est ce qu'on a vu en 1972, quand plus de 210 000 employés de la fonction publique et parapublique québécoise ont entamé une grève générale dans le cadre d'un front commun syndical sans précédent. Après 10 jours d'une grève qui paralysait complètement les activités de l'État et les services à la population, le gouvernement démocratiquement élu par les Québécois a mis fin au débrayage et est même allé jusqu'à faire emprisonner les chefs des trois grandes centrales, qui ont tout de même réussi à faire des gains importants pour leurs membres. Même si le syndicalisme québécois a été, pendant un certain temps, à la remorque du syndicalisme étranger, les événements de 1972 illustrent l'ambition encore plus grande qui est à l'origine de son emprise sur le Québec contemporain.

D'autres rondes de négociations du secteur public donneront lieu à de tels fronts communs. Le plus récent est celui de 2009-2010 où la FTQ, la CSN et le Secrétariat intersyndical des services publics ont négocié, pour leurs 475 000 membres employés de l'État, des augmentations salariales de 2,75 milliards $ sur cinq ans.

On notera d'abord qu'en 30 ans, le nombre d'employés sur la liste de paie du gouvernement a plus que doublé. On notera également que les syndicats ont réussi à négocier une hausse des salaires des fonctionnaires, alors que le budget de l'État est encore déficitaire. Contrairement au discours des centrales, c'est avec une véritable oligarchie syndicale que le Québec est aux prises, et non avec un prétendu complot du secteur privé pour forcer les gouvernements successifs à appliquer des politiques « néolibérales ».

Certaines choses surprennent quand on fait un premier bilan de l'histoire et de la montée du syndicalisme au Québec.

Premièrement, on observe que cette histoire et cette progression du syndicalisme est intimement liée à l'époque de la révolution industrielle, dans un premier temps, et à la croissance de la fonction publique, dans un second temps.

Deuxièmement, on constate que les travailleurs d'aujourd'hui tiennent pour acquises des avancées qui sont, en fait, le fruit de longues luttes ouvrières qui ont été menées dans un contexte précis où l'amélioration des conditions de travail des syndiqués s'effectuait en échange d'une croissance importante de la productivité de chacun et en période d'enrichissement collectif majeur. Les syndicats peuvent prendre une partie du crédit pour l'amélioration de ces conditions, mais on ne doit pas oublier le contexte économique qui a rendu possible ces mêmes améliorations.

Finalement, ce qui étonne et désole probablement le plus, c'est de constater que lorsque les syndicats menaient leurs batailles, ils ont affronté le pouvoir dominant de l'époque et dénoncé tous ses travers simplement pour mieux les reproduire, comme nous le verrons, une fois que leurs propres dogmes seront devenus dominants.

# 3

# OUVRIR SES LIVRES : PAS POUR LES SYNDICATS ET L'ARGENT DES TRAVAILLEURS!

Le nerf de la guerre, tout le monde le sait, c'est le fric!

Les sommes reçues par les syndicats sont loin d'être négligeables. On ne connaît malheureusement pas le montant exact que soutirent les syndicats aux travailleurs québécois. Les syndicats agissent comme s'ils étaient les mandataires exclusifs d'une grosse caisse secrète à laquelle eux seuls avaient accès. Devant son obligation de faire preuve d'un peu plus de transparence, le gouvernement nous révèle tous les ans, via le ministère des Finances, dans les *Statistiques fiscales des particuliers*, les montants déclarés en paiement de cotisations syndicales ou professionnelles aux fins du crédit d'impôt non remboursable de 20 %.

Dans la dernière édition disponible, on apprend que ce crédit d'impôt est égal à 210 millions $ en 2009. Si 20 % = 210 millions $, 100 % = 1,05 milliard $. C'est donc dire qu'en une année, 1 050 000 000 $ ont été perçus par les syndicats et autres associations professionnelles.

Pour séparer les cotisations syndicales des cotisations professionnelles, on doit faire une estimation puisqu'aucune répartition n'existe dans les comptes publics. Selon les chiffres disponibles, les syndiqués représentent environ 76 % du total des cotisants. En prenant pour acquis que les montants des cotisations syndicales sont en moyenne équivalents à celui des cotisations professionnelles, on peut estimer à

798 millions $ la somme perçue en cotisations syndicales (soit 76 % du 1,05 milliard $).

Ce chiffre représente évidemment un minimum puisqu'il s'agit d'estimations faites à partir du crédit d'impôt non remboursable des cotisations d'un syndiqué. Celui-ci peut parfaitement ne pas avoir d'impôt à payer ou ne pas le déclarer.

Une autre façon d'estimer les revenus syndicaux consiste à multiplier le montant payé par mois, par travailleur, multiplié par 12 mois, multiplié par le nombre de syndiqués. En 2009, il semble que les cotisations moyennes étaient de 65 $/mois à la FTQ. Si on extrapole que les cotisations sont équivalentes pour les autres syndicats, on arrive au calcul suivant : 65 $ X 12 mois X 1 307 000 syndiqués au Québec en 2009 = 1,02 milliard $.

On peut donc affirmer, sans trop se tromper, que les syndicats perçoivent entre 800 millions $ et 1 milliard $ en cotisation tous les ans. Et notons que ces chiffres sous-estiment les revenus réels des syndicats puisqu'ils ne tiennent pas compte de tous leurs revenus provenant de sources autres que les simples cotisations. Il faut ajouter l'argent perçu lors d'activités de financement, les revenus de placements, les cotisations spéciales ou extraordinaires, l'argent versé par le gouvernement pour une multitude de projets, etc. À titre d'exemple, chaque année, les syndicats reçoivent annuellement un montant évalué à plus de 5 millions $ pour cogérer, en compagnie d'associations d'employeurs, la Commission de la santé et de la sécurité du travail (CSST).

Bref, on a affaire à tout un trésor de guerre.

Ça explique pourquoi chacune des grandes centrales bénéficie d'un service de communication hors pair, d'une équipe de relationnistes et même d'une direction du marketing qui ne sert trop souvent qu'à promouvoir une idéologie. Et tout cela sans aucun contrepoids de même taille ailleurs dans la sphère politique québécoise.

Juste pour donner un ordre de grandeur, pensez que les trois principaux partis politiques représentés à l'Assemblée nationale en 2011, le Parti libéral du Québec, le Parti québécois et la défunte Action démocratique du Québec, ont amassé ensemble 7 394 458 $, soit moins de 1 % de ce que les syndicats récoltaient pendant la même période. On fait grand état de l'argent sale qui a pu souiller les caisses électorales des partis. Ces caisses sont pourtant bien insignifiantes lorsqu'on les compare à celles des syndicats.

Le ministère du Travail du Québec, celui chargé de mettre en application justement les lois relatives aux relations de travail, bénéficiait en 2011 d'un budget de 32 289 800 $, soit environ 30 fois moins que celui des syndicats. Quand le ministre du Travail rencontre ensuite les leaders des grandes centrales syndicales, dites-vous que notre représentant du peuple québécois gère une organisation 30 fois moins grosse que les gens assis devant lui. Demandez-vous ensuite qui mène le Québec et qui décide des lois du travail.

Toujours à titre de comparaison, j'aimerais citer l'ex-vice-président du Conseil du patronat, le regretté Daniel Audet, qui écrivait le 24 janvier 2011 : « La Conseil du patronat, la Fédération des chambres de commerce du Québec, la Fédération canadienne de l'entreprise indépendante, les Manufacturiers et exportateurs du Québec et d'autres associations d'employeurs sont censés faire contrepoids, chacun à leur façon, à cette véritable machine à propagande presque milliardaire que constituent les organisations syndicales... Les associations patronales comptent essentiellement sur leurs adhésions pour y faire face. Nos budgets réunis représentent au mieux 1 % du leur. »

Comment peut-on retrouver un équilibre et éviter une telle domination syndicale?

Malgré les discours anticapitalistes, les centrales syndicales continuent à se battre pour obtenir un maximum de cotisations avec un minimum de comptes à rendre.

Les syndicats ne peuvent cependant plus prétendre qu'ils sont des organisations privées et qu'ils n'ont d'explications à fournir qu'à leurs membres. Si tel est le cas, les contribuables doivent cesser, dès maintenant, d'accorder des crédits d'impôt à tous ceux qui cotisent et on doit aussi imposer les indemnités versées lors d'un conflit de travail.

L'ex-président de la CSQ, Réjean Parent, déclarait, avec son habituel sens de la formule, en juin 2012 : « Je n'ai pas de compte à rendre à ceux qui ne cotisent pas! » Le président de la FTQ, Michel Arsenault, ajoutait : « La droite patronale exige très peu de transparence des entreprises avec qui on négocie. On va continuer de s'impliquer socialement et de rendre compte à nos membres. Je ne suis pas dirigé par l'opinion publique! »

S'ils veulent agir ainsi, avec des caisses opaques, sans se justifier à personne ni se soucier de l'opinion publique, les centrales syndicales doivent, en contrepartie, arrêter de vouloir bénéficier de traitements de faveur de la part de ceux et celles à qui ils refusent de montrer patte blanche.

Les cotisations syndicales bénéficient d'un crédit d'impôt de 20 % à Québec et sont totalement déductibles du revenu imposable à Ottawa, au même titre que les autres cotisations aux ordres professionnelles. Par exemple, si mes cotisations s'élèvent à 1000 $ par année, j'ai droit à 200 $ en crédit d'impôt à Québec et mon revenu imposable est réduit de 1000 $ à Ottawa.

Accorder un tel privilège aux syndicats est fort questionnable. Un ordre professionnel est là, en principe, pour protéger le public contre les abus potentiels de la part d'un professionnel, pas pour protéger l'intérêt personnel de celui-ci. Un syndicat est là, au contraire, théoriquement du moins, pour défendre les intérêts de ses membres, sans avoir à se soucier du bien public. Pourquoi les contribuables devraient-ils lui octroyer une telle faveur, alors qu'aucune autre organisation vouée uniquement à la défense des intérêts de ses membres dans notre société ne jouit d'un traitement fiscal aussi avantageux?

Une réelle transparence financière des syndicats pourrait bien être le remède pour venir à bout de la potentielle corruption de ces mêmes syndicats. Si les syndiqués connaissaient le vrai visage de ces organisations, peut-être que ces dernières ne récolteraient plus entre 800 millions et 1 milliard $ par année en cotisations lorsqu'elles ont, en fait, simplement besoin d'une fraction de ce montant pour faire ce que les syndiqués souhaitent et attendent d'elles.

Certains travailleurs paient un fort prix pour cette obésité syndicale. Vous avez été tellement nombreux à m'écrire pour vous indigner du montant qu'on saisit automatiquement sur votre salaire pour le donner à une organisation dont vous ne souhaitez, souvent, même plus être membres.

Un travailleur dans le Grand Nord québécois m'écrit : « Je paie 29 $ par semaine à la FTQ-Construction comme foreur-dynamiteur, plus 35 $

par semaine pour le syndicat des enseignants d'Ungava quand je donne de la formation en dynamitage sous le sceau de la Commission Scolaire de la Baie-James. À l'école, je paie près de 2000 $ par année au syndicat. Quand je réussis à combiner avec des contrats de construction, c'est plus de 3000 $ par année qui me sont déduits. »

Une autre m'écrit : « Mon conjoint est dans le milieu de la construction. Il paye environ 2000 $ par année selon le nombre d'heures travaillées. À date, il a 600 heures de cumulées et il a payé 602 $ en cotisations syndicales. C'est environ 1 $ de l'heure travaillée. Je crois que c'est trop élevé... »

Le milliard de dollars en cotisations, ce sont des hommes et des femmes de chez nous qui le versent sans nécessairement le vouloir et sans savoir ce que les syndicats font avec.

Nos parlementaires à la Chambre des communes à Ottawa viennent d'adopter, au grand dam des syndicats, un projet de loi important qui pourrait apporter un peu plus de transparence et de reddition de comptes de la part des syndicats canadiens.

Le projet de loi C-377, déposé par un député conservateur de la Colombie-Britannique, Russ Hiebert, a été débattu puis adopté en décembre 2012. Cette mesure législative accroît la transparence et la responsabilité des syndicats. Une fois en vigueur, cette législation obligera chaque syndicat au Canada à produire annuellement des états financiers détaillés qui seront accessibles à tous sur Internet.

Cette importante divulgation d'information financière obligatoire permettra aux travailleurs de savoir où va l'argent de leurs cotisations et, ainsi, de mieux évaluer la performance de leurs syndicats. Cette transparence accrue mènera indéniablement, selon plusieurs études, à une bien meilleure gestion et à une diminution du potentiel de corruption.

Les syndicats ont pourtant tout fait pour empêcher l'adoption d'une telle mesure. Ils ont tenté de négocier avec certains élus afin de diluer la portée du projet de loi en échange d'un appui à certains projets de développement économique dans certaines régions. Ce faisant, ils nous ont offert un bel exemple du genre de marchandage occasionné par ce que j'ai nommé le corporatisme syndical. Ils menacent même maintenant de contester cette loi devant les tribunaux. Ils se battront avec l'argent des cotisations pour empêcher les travailleurs de savoir ce qu'ils font avec leur argent. N'y a-t-il pas là un cynisme démesuré? Leurs grands amis et alliés péquistes, via la ministre québécoise du Travail Agnès Maltais, contestent même la validité de la loi, cette fois-ci aux frais des contribuables, et menacent d'aller contester la constitutionnalité de cette même loi qui sert pourtant l'intérêt public.

N'importe quelle entreprise cotée en bourse doit fournir de l'information financière précise à ses actionnaires. Tous les organismes qui jouissent du statut de bienfaisance ont aussi des obligations importantes à ce niveau. Même les chefs autochtones et leurs conseillers seront maintenant obligés de divulguer publiquement, sur le site web du ministère des Affaires indiennes,  leurs salaires et leurs comptes de dépenses.

Quand les contribuables financent une organisation, en échange, l'organisation qui reçoit les deniers publics a une obligation de transparence.

Pourquoi est-ce que les syndicats ne sont pas soumis à des règles minimalement aussi contraignantes? Leurs cotisations sont pourtant obligatoires en vertu de la loi et sont même déductibles d'impôt. Pourquoi est-ce que les syndicats ont des droits aussi importants vis-à-vis leurs syndiqués et les contribuables, mais aussi peu d'obligations envers ces mêmes gens?

Les syndicats veulent le beurre, l'argent du beurre et, comme le dit mon ami Richard Martineau, le cul de la fermière! Ils veulent profiter au maximum de la générosité des contribuables, sans avoir à rendre de compte en retour.

Les leaders syndicaux rétorqueront qu'ils doivent fournir des états financiers à leurs membres seulement. Ce qu'ils oublient généralement d'ajouter, c'est qu'un travailleur syndiqué doit faire une demande officielle pour obtenir une telle information. Il est alors trop souvent spontanément identifié et victime d'intimidation. Et le travailleur syndiqué qui est victime d'intimidation de la part de son syndicat ne peut malheureusement compter sur l'équivalent d'une Fondation Jasmin Roy qui irait sur toutes les tribunes se porter à sa défense!

L'écrasante majorité des travailleurs n'ose ainsi pas sortir de l'anonymat.

Mais plus important encore, aucun gouvernement au Canada, fédéral ou provincial, n'oblige, à ce jour, à divulguer des détails précis dans les états financiers. Au Québec, la CSN est la seule grande centrale qui a le mérite de rendre publique périodiquement (normalement une fois aux deux ans) certains renseignements financiers. Elle ne fait que publier des chiffres globaux, sur certains grands postes budgétaires, sans ventilation détaillée des revenus et des dépenses. Un syndiqué CSN ne peut absolument pas identifier ce qui est le plus important pour plusieurs d'entre nous, soit la répartition exacte entre le montant d'argent consacré à l'activisme politico-idéologique par rapport à celui utilisé aux seules activités liées à la représentation des travailleurs.

Un expert en relations industrielles m'a raconté une histoire incroyable qui illustre tellement bien le problème discuté dans cette section : « Une employée dans les Laurentides avait demandé à la CSN de l'information sur les états financiers de son local composé de quelque 1300 membres lors d'une assemblée régulière. Le président du local et les membres de l'exécutif lui ont dit de vive voix de se présenter au bureau du syndicat plus tard dans la semaine pour avoir cette information. Lorsqu'elle s'est présentée, on l'a interrogée pendant plus d'une heure pour savoir pourquoi elle voulait l'information, ce qu'elle en ferait. En bout de ligne, elle n'a rien eu. Sans entrer dans les détails, elle a embauché un avocat et a écrit une lettre en 2010 à Claudette Carbonneau, alors présidente de la CSN. Mais c'est Louis Roy, le nouveau président de la CSN depuis mai 2011 (qui a depuis démissionné), qui lui a répondu, sans lui donner les renseignements recherchés. Il lui a écrit de travailler en plus étroite collaboration avec le président de son syndicat local. Cela l'a choquée. Elle a déposé par la suite une plainte à la Commission des relations de travail (CRT) pour obtenir l'information qui lui était due selon les dispositions de l'article 47.1 du Code du travail du Québec. Vers la fin de toute cette histoire, le syndicat a accepté de lui rembourser ses frais d'avocat sur présentation de factures et a consenti à lui donner un chiffre comme : *L'an passé notre budget était de 2 650 000 $, le syndicat local a payé à la CSN (Fédération, Bureau confédéral, etc.) 650 000 $ et le reste a couvert nos dépenses locales.* »

Plusieurs parmi nous partagent la frustration légitime de cette travailleuse. La population réclame d'ailleurs cette transparence accrue. Un sondage mené par la firme Léger Marketing pour le compte du Conseil du patronat a été rendu public en mai 2012 sur l'utilisation plus adéquate et la transparence des cotisations syndicales. On y apprend que 60 % des Québécois croient que les cotisations payées par les syndiqués devraient « servir à payer les dépenses associées au processus de négociation avec l'employeur et à l'application de la convention collective ». De plus, 64 % des personnes sondées estiment aussi que cet argent devrait servir à payer le salaire des employés en grève. Un maigre 12 % appuie cependant l'idée de voir les cotisations syndicales servir à prendre position sur différents enjeux de société et un rachitique 3 % approuve l'idée qu'elles servent à financer des partis politiques. Quant à la question de reddition de compte, 97 % des gens souhaitent que les syndicats soient légalement tenus de rendre compte de leurs états financiers à leurs membres et au public afin de voir quelle utilisation ils font des cotisations versées par les travailleurs.

Chez nos voisins américains, le gouvernement impose des obligations aux organisations syndicales afin qu'elles fournissent un état financier tous les ans au Department of Labour, l'équivalent du ministère du Travail chez nous. Ces nouvelles contraintes sont apparues d'ailleurs en 1959, juste après que des scandales de corruption aient frappé certains syndicats américains. En 2004, l'administration de George W. Bush avait adopté de nouvelles mesures pour contraindre les syndicats à faire preuve d'encore plus de transparence. Tous les syndicats qui dépensent maintenant plus de 250 000 $ annuellement sont obligés de déposer deux types d'états financiers qui comptent 68 postes, dont 47 pour des informations strictement financières et 21 pour des informations non-financières, en plus de 20 tableaux. N'importe quel travailleur peut librement et anonymement consulter tout cela sur le site internet du Department of Labour et voir, en un clin d'œil, quelle est la part des cotisations syndicales qui sert à lui négocier de meilleures conditions de travail et à le représenter, par rapport aux autres types d'activités, notamment politiques.

La législation américaine en matière de transparence des syndicats aura aussi permis, entre 2001 et 2007 uniquement, années où les données sont présentement disponibles, de retourner à des syndiqués 103 millions $ qui avaient été illégalement détournés. La justice américaine a déposé 877 accusations pour corruption et détournement de fonds durant cette même période.

Même en France, les syndicats commencent à faire preuve de plus de transparence. Depuis 2009, une nouvelle loi, la Loi portant sur la rénovation de la démocratie sociale et réforme du temps de travail oblige désormais les syndicats à rendre public leurs états financiers. Fait intéressant à noter : cette législation survient à la suite des demandes faites par le patronat et les syndicats. Ceux-ci voyant sans doute là une occasion de redorer leur blason après avoir fait face, comme aux États-Unis, à des allégations de corruption.

Au Québec, les syndicats devraient sérieusement songer à se redonner eux aussi un peu de crédibilité après avoir été passablement amochés ces dernières années, notamment par certaines allégations dans l'industrie de la construction.

Rappelons-nous simplement que Radio-Canada révélait, en novembre 2011, que «des proches de la mafia, des dirigeants de la FTQ et Tony Accurso ont acheté des condos dans une tour financée par la caisse des travailleurs d'un syndicat (…) La moitié des condos a été vendue à des dirigeants de la FTQ-Construction et à des membres de leur famille, dont Jocelyn Dupuis, alors directeur général de la FTQ-Construction, sa fille et son frère Serge Dupuis, lui aussi à la direction du syndicat. On retrouve aussi Yves Bourassa, président du Syndicat des travailleurs unis du Québec (STUQ), affilié à la FTQ, Robert Cordileone, qui était à la FTQ-Construction, et le trésorier Eddy Brandone, sa femme, ses deux filles et son gendre. Tony Accurso a acheté cinq condos dans la tour. D'autres acheteurs ont attiré notre attention. Entre 2004 et 2010, une dizaine de propriétaires étaient des proches de la mafia. En leur nom propre ou au nom de membres de leur famille, on retrouve Antonio Pietrantonio, Liborio Manno, Giuseppe Colapelle, des proches de Vito Rizzuto. Giuseppe Bertolo, trésorier d'une entreprise de décontamination liée de plusieurs façons à la mafia, a aussi été propriétaire d'un condo. Le cœur de cette affaire, c'est que la construction de l'immeuble a été financée à 100 % par la FIPOE, la Fraternité interprovinciale des ouvriers en électricité ».

Un mois plus tard, *Les Affaires* découvrait que la même FIPOE avait aussi effectué pour plus de 10 millions $ de prêts supplémentaires dans une entreprise immobilière dont le directeur était le neveu du président du syndicat.

Encore une fois, ces révélations troublantes ont été portées à l'attention du public non pas parce que le syndicat fait preuve de transparence, mais bien plutôt parce que des médias enquêtaient sur Tony Accurso. En allant à la pêche à la truite, ils ont sorti un beau gros brochet!

Intéressant de souligner, en terminant sur la transparence, que certains syndiqués québécois peuvent avoir accès à plus d'information sur ce que leur syndicat fait de leur argent parce qu'ils font partie d'un syndicat international soumis aux lois américaines. Il est plutôt consternant de savoir que certains travailleurs québécois obligés de payer des cotisations peuvent recevoir un peu plus d'information au sujet de leur syndicat uniquement parce qu'une loi existe dans une autre juridiction, là où les travailleurs sont libres ou non d'adhérer à ce syndicat ou de payer des cotisations.

Cette nécessaire transparence reste toujours le meilleur moyen d'assurer l'imputabilité de toute institution. Ça permet à tout le monde, de manière indépendante et anonyme, d'analyser et d'apprécier les décisions prises par cette organisation. La transparence mène immanquablement à une gestion améliorée et à une corruption réduite.

Une véritable transparence syndicale permettrait aux travailleurs d'être mieux informés en vue de choisir les meilleurs représentants pour négocier et administrer leurs conventions collectives. Chacun saurait s'il en a pour son argent lorsqu'il verse ses cotisations. La démocratie syndicale s'en trouverait décontaminée.

Le grand public profiterait aussi de cette ouverture puisque toutes les parties intéressées par ce type d'information seraient à même de mieux mesurer l'efficacité et l'efficience des dépenses syndicales.

Le temps est venu d'éclairer la route de l'argent syndical!

# 4
## PRISON SYNDICALE OU LIBERTÉ D'ASSOCIATION?

Le moment est maintenant venu de vous prouver que le Québec est l'un des endroits dans le monde industrialisé où la liberté d'association des employés est la plus limitée, pour ne pas dire carrément brimée. Nous comptons parmi les plus asservis au pouvoir syndical sur la planète.

Le chercheur Neils Veldhuis, de l'Institut Fraser, présentait, en août 2009, une étude empirique sur les différentes législations en matière de relations de travail en Amérique du Nord. L'étude montre que «la législation québécoise en matière de relations de travail crée un marché du travail inflexible et que parmi l'ensemble des provinces, elle (la législation québécoise) est la plus partiale au profit des syndicats». Le Québec obtenait la médiocre note de 1,3 sur 10, terminant ainsi au tout dernier rang du palmarès des provinces canadiennes et des États américains.

En fait, il faut remonter à l'époque des premiers Trade-Unions britanniques, en 1860, pour voir apparaître l'ancêtre de la principale contrainte syndicale exercée sur les entreprises québécoises d'aujourd'hui. On leur imposait alors de n'embaucher que ceux qui avaient préalablement adhéré au syndicat maison de «l'atelier fermé», mieux connu sous son nom d'origine anglaise, le «Pre-Entry Closed-Shop». Pour travailler dans ces usines, l'ouvrier devait d'abord et avant tout être membre du syndicat de sa «shop».

À partir de cette intrusion dans la liberté d'association des travailleurs en Angleterre, on peut faire un bond aux années 40 du 20ᵉ siècle, de ce côté-ci de l'Atlantique, pour comprendre comment nous en sommes venus à être ainsi pris dans les tentacules et les ventouses des grandes centrales syndicales. On passera de l'obligation d'adhérer (atelier fermé) à l'obligation de cotiser (formule Rand).

Tel que mentionné précédemment, le 29 janvier 1946, le juge Ivan Rand rend, à la suite d'une médiation, son jugement qui amorce la naissance de la «formule Rand». On oblige alors le travailleur à cotiser, même s'il n'est pas membre du syndicat, parce que, prétend-on, il bénéficie des avantages du syndicat qui s'installe dans son lieu de travail. Il s'agit, ni plus ni moins, de l'abolition du droit des travailleurs à négocier, à être représentés et à disposer de leur salaire de la façon dont ils le désirent.

**La décision du juge Rand comportait trois volets :**

1 La retenue par l'employeur des cotisations syndicales ordinaires sur la paye de tous les travailleurs assujettis à la convention, qu'ils soient membres ou non du syndicat ;

2 l'obligation pour le syndicat de tenir, avant le déclenchement de toute grève, un vote par bulletin secret auquel ont droit de participer tous les travailleurs de l'unité de négociation, membres ou non du syndicat ; et

3 des sanctions spécifiques imposées au syndicat et aux travailleurs se livrant à une grève illégale ou qui n'aurait pas rempli les conditions précédentes.

Ce que l'on désigne aujourd'hui par formule Rand ne correspond qu'au premier volet et va absolument à l'encontre du texte de la décision et de l'esprit dans lequel son auteur l'a rendue. On a délaissé les deux derniers volets.

Pourtant, ces deux autres volets contribuaient à contrebalancer le pouvoir économique accordé au syndicat, tout en tentant de le rendre démocratique et responsable.

Notre Code du travail encadre seulement le premier volet de la décision du juge Rand, à savoir l'obligation de payer des cotisations syndicales. L'employeur est, depuis 1977, contraint de déduire cette charge à la source et de la transférer au gouvernement, qui la redistribue au syndicat approprié.

Les syndicats bénéficient ainsi d'une source de financement garantie, sans aucune obligation de résultats ou d'utiliser ces sommes pour la défense de leurs membres. Le leadership syndical dépense ainsi des centaines de millions de dollars sans préalablement s'assurer que les causes politiques auxquelles il consacre cet argent ont l'adhésion de ses membres.

Il est en fait bien difficile d'établir si les syndiqués approuvent ou non l'activisme politique de leurs syndicats puisque, sans transparence financière, on ne sait pas comment l'argent est dépensé et, sans véritable démocratie, on ne sait pas ce qu'en pensent les travailleurs.

Peu importe l'efficacité, la représentativité ou la conjoncture économique, la santé financière des syndicats est assurée. Une part importante de cet argent peut continuer de servir en salaires élevés aux leaders syndicaux, en *partys* et en conventions bien arrosées, en contributions politiques de toutes sortes et, surtout, en propagande afin de maintenir bien en place les privilèges syndicaux.

L'obligation de payer une cotisation repose sur la prémisse que chaque employé d'une entreprise syndiquée bénéficie de l'action collective du syndicat. Rien n'est pourtant plus faux! Les facteurs les plus importants pour déterminer le salaire et la qualité des conditions de travail sont la productivité du travailleur et ce que les consommateurs sont prêts à payer pour le fruit de cette production. Quand les syndicats s'objectent aux progrès technologiques, comme ils le faisaient récemment chez Hydro-Québec, ou lorsqu'ils résistent aux gains de productivité, comme on l'a notamment remarqué chez Rio Tinto au Saguenay, on peut même légitimement arguer qu'ils nuisent à une hausse future des salaires de leurs membres.

Pour illustrer encore mieux cet argument, demandez-vous si quelqu'un croit réellement qu'un entrepreneur capitaliste ne paie pas un juste prix ou qu'il enfirouape un vendeur lorsqu'il se procure de la machinerie ou lorsqu'il loue un local commercial. Évidemment que la question semble idiote et personne ne considère qu'il faudrait l'intervention d'un syndicat pour s'assurer qu'un « juste prix » soit versé. Pourquoi est-ce différent lorsqu'on aborde la rémunération des ouvriers? N'oublions pas que les travailleurs les mieux rémunérés sont généralement dans le secteur privé non syndiqué.

D'ailleurs, pensez qu'à la fin du 19ᵉ siècle, le salaire moyen du travailleur américain était beaucoup plus élevé que celui du travailleur allemand ou anglais, même si son taux de syndicalisation était beaucoup plus bas. Pourquoi? Tout simplement parce que l'Américain était plus dynamique et productif, créant ainsi plus de richesse que son confrère européen.

Autre exemple plus récent : à Fort McMurray, dans le nord de l'Alberta, là où se trouve la plus importante zone d'exploitation de sables bitumineux, Burger King est présentement contraint de payer plus de deux fois et demie le salaire minimum pour se trouver des employés en raison du plein-emploi dans la région et de la forte croissance de la richesse locale. Et le jeune homme qui vous vend votre Whopper là-bas n'est pourtant pas syndiqué. Ou encore, plus près de nous, en Abitibi, même phénomène : le boom minier oblige aussi les employeurs à hausser fortement les salaires pour trouver du personnel de toutes sortes.

J'explique tout ça pour faire comprendre qu'une hausse artificielle de salaire qui ne découle pas de gains de productivité ou d'un enrichissement collectif ne sera jamais viable à long terme. Si je vous donne un salaire de 500 $ de l'heure alors que vous en valez 12 $, je vais faire faillite en quelques jours. Il en résultera, au contraire, une hausse du chômage parce que les salaires seront trop élevés, tout en pénalisant l'ensemble des travailleurs qui sont aussi des consommateurs sensibles aux hausses de prix. Tôt ou tard, la réalité économique finira toujours par rattraper les entreprises qui accordent des salaires supérieurs à la productivité réelle. Et quand la réalité frappe, les travailleurs de ces entreprises en paient lourdement le prix.

La seule exception à cette règle demeure, évidemment, la fonction publique, où certains salaires prohibitifs peuvent être maintenus plus durablement en refilant la facture à l'ensemble des contribuables actuels et futurs.

Et la formule Rand n'est malheureusement pas l'unique mesure qui restreint la liberté des travailleurs au Québec. Comme l'a bien souligné le conseiller en relations industrielles, feu Louis Fortin, dans une note de l'Institut économique de Montréal de février 2011, deux autres mécanismes imposent de grandes limitations à notre liberté du travail :

1 Le fait de pouvoir syndiquer des travailleurs sans même tenir un vote secret ; et

2 l'obligation d'adhérer à un syndicat.

Notre Code du travail prévoit toutes les dispositions pour mettre en place et accréditer officiellement un syndicat dans un lieu de travail. Une demande en accréditation doit être déposée à la Commission des relations du travail. Si plus de 35 % des travailleurs ont signé une carte d'adhésion au syndicat, un vote secret doit être organisé afin de savoir s'il reçoit l'assentiment de la majorité. Si la demande en accréditation compte plus de 50 % des employés qui ont signé leur carte d'adhésion, le syndicat peut être formé et reconnu, sans aucun processus démocratique, et le scrutin secret est ainsi évité. La même absence de démocratie apparaît lorsque les syndicats forcent des votes à main levée pour approuver une grève ou décider de la stratégie à adopter lorsqu'une négociation collective est en cours ou pour appuyer leurs causes politiques.

Un chauffeur d'autobus du Réseau de transport de la Capitale, à Québec, explique bien, dans ses mots, la frustration d'un grand nombre de syndiqués sur cette façon de faire : « La manière que j'ai compris le fonctionnement de LA démocratie des chefs syndicaux (parce qu'ils appellent ça une démocratie), c'est que les délégués assemblés en congrès votent sur différents sujets dont les financements à des causes, mais où tous les petits indiens (les travailleurs) n'auront pas été consultés. C'est dégueulasse! Ça me coûte 19,62 $ par semaine et nous sommes environ 920 chauffeurs. Tout ne va pas à la CSN directement, mais quand même. Je ne veux pas donner une cenne à des groupuscules. Quant aux appuis des centrales syndicales à prendre nos cotisations pour appuyer les mouvements étudiants ou encore les partis politiques, nous sommes pour la plupart des membres bien déçus que nos cotisations servent à cette fin alors que les fonds de grève n'ont pas augmenté depuis des lunes! Pour nous, c'est carrément du vol puisque nos cotisations pourraient être beaucoup moins chères si elles étaient employées uniquement pour le mouvement syndical. Dans nos milieux de travail, je peux vous assurer qu'on jase beaucoup de ce sujet qui sera certainement débattu lors des prochains congrès où les membres ont droit de vote sur l'utilisation de notre argent. »

Effectivement, s'il fallait qu'un peuple élise son gouvernement de la même façon que les syndicats se font accréditer et fonctionnent, on qualifierait judicieusement ce régime de tyrannique ou de république de bananes. On exerce notre droit de vote pour élire notre représentant à la Chambre des communes, à l'Assemblée nationale ou à l'Hôtel de ville, parfois même pour se prononcer sur une question plus spécifique lors d'un référendum. On vote alors en toute discrétion, seul dans un isoloir, avec un bulletin de vote non identifiable, protégé de toute pression ou de toute forme d'intimidation. On exprime ainsi librement notre opinion! C'est comme ça qu'on révèle nos préférences politiques dans une société libre et moderne. Quand il s'agit d'une grande organisation syndicale, trop peu de gens s'offusquent ou déplorent cette absence du respect des droits démocratiques fondamentaux.

On nous rétorquera même, à l'occasion, qu'un travailleur a parfaitement le droit de s'impliquer dans son atelier syndical et de changer de l'intérieur ce qui ne lui plaît pas. Nous savons pourtant que les règles internes des syndicats varient beaucoup d'un endroit à l'autre, et qu'elles sont malheureusement encore trop souvent fidèles au « centralisme démocratique » de certains partis communistes d'une époque révolue.

Chaque province canadienne a son propre processus d'accréditation syndicale, sans compter que le gouvernement fédéral a aussi ses propres règles pour les employés d'entreprises de compétence fédérale.

Il y a seulement quatre provinces au Canada qui peuvent accorder automatiquement une accréditation à un syndicat sans la tenue préalable d'un vote en bonne et due forme (l'Île-du-Prince-Edouard, le

Nouveau-Brunswick, le Manitoba et le Québec). Pas nécessairement les provinces les plus riches, soit dit en passant. Dans ces provinces, il est possible d'accorder une accréditation si une majorité de travailleurs représentée par l'unité de négociation signe une carte d'adhésion. Le pourcentage de travailleurs qui doit signer varie aussi d'une province à l'autre. Il faut 65 % au Manitoba, 60 % au Nouveau-Brunswick, et seulement 50 % à l'Île-du-Prince-Edouard ou au Québec. Partout ailleurs, il faut un vote obligatoire au scrutin secret.

Le Québec se distingue aussi par un préjugé favorable aux syndicats et le nombre moins élevé de signatures de cartes d'adhésion pour provoquer un vote, soit 35 %, alors que, dans toutes les autres provinces, ce pourcentage s'établit à 40 % ou à 45 %. Nous sommes aussi pratiquement la seule législation qui donne le droit de vote uniquement aux membres en règle du syndicat, alors qu'ailleurs, tous les membres de l'unité de négociation peuvent voter. Tu payes des cotisations syndicales, tu as le droit de vote. Au Québec, tu dois être membre du syndicat si tu veux voter. Sinon, tu fermes ta gueule, pis tu payes!

Autre avantage non négligeable accordé aux syndicats québécois : la durée de la période de recrutement pour faire signer des cartes d'adhésion est beaucoup plus longue ici qu'ailleurs. La carte de membre reste valide pendant 12 mois après sa signature par le travailleur qui réclame une accréditation. En Ontario, les signatures sont valides seulement six mois, alors qu'en Colombie-Britannique et en Alberta, seulement 90 jours. C'est donc dire que les syndicalistes britanno-colombiens ou albertains n'ont que trois mois pour rassembler le nombre de signatures nécessaires sans quoi ils doivent tout recommencer, alors que ceux du Québec peuvent prendre un an pour atteindre le même objectif.

Pourtant, une écrasante majorité de Québécois considère qu'un scrutin secret devrait être obligatoire pour un vote d'accréditation syndicale. Un sondage de la firme Léger Marketing commandé par le Conseil du patronat nous apprenait, le 11 mai 2012, que 83 % des Québécois pensent que la tenue d'un scrutin secret devrait être obligatoire quand les employés sont appelés à décider s'ils vont se syndiquer ou non. De plus, 74 % des gens d'ici croient que tous les employés qui paient des cotisations syndicales, y compris ceux qui ne sont pas membres d'un syndicat, devraient avoir le droit de voter.

Ceux qui s'objectent au vote secret utilisent souvent l'argument qu'il pourrait y avoir de l'intimidation patronale avant la tenue du vote. Ce qu'ils omettent de mentionner, c'est qu'il peut aussi y avoir de l'intimidation syndicale pour forcer un employé à signer sa carte d'adhésion à un syndicat. Le vote secret protégerait justement le travailleur de l'intimidation patronale et syndicale.

Quand des syndicalistes approchent un travailleur pour l'inciter à signer, ils ne présentent généralement qu'un seul côté de la médaille. Curieusement, on limite la possibilité d'un employeur de communiquer quelque information aux employés en processus de syndicalisation, mais on n'a aucune règle pour encadrer le harcèlement syndical potentiel. Par exemple, on ne limite pas le nombre de fois qu'un syndicat peut visiter l'employé et on n'encadre pas ce qu'il peut lui dire ou non.

Certains travailleurs déchantent parfois très vite, comme cet internaute qui m'écrit : « À mon ancien emploi, j'étais un sous-traitant pour le service à la clientèle de Bell. Au début, on n'était pas syndiqués. Puis, on m'a demandé de signer une carte pour être syndiqué. J'ai tout d'abord refusé, mais quelqu'un s'est présenté chez moi pour me convaincre. Il m'a promis une augmentation de 3 $ de l'heure de plus. J'ai donc signé... Pire erreur de ma vie! J'y ai travaillé quatre ans et je n'ai jamais rien obtenu. La seule chose que j'ai obtenue, c'est une diminution de salaire (cotisation syndicale), d'environ 18 $ par paye (18 X 2 = 36) X 12 mois = 432 $ par année, soit 1728 $ dans les belles poches des syndicats qui n'ont absolument rien fait pour moi.»

La signature d'une carte d'adhésion ne signifie aucunement qu'un travailleur souhaite véritablement se syndiquer. Souvent, la signature veut simplement dire que le travailleur en avait marre de se faire écœurer ou ne voulait pas être identifié comme étant antisyndical.

Prenons, par exemple, le cas mieux connu de la campagne d'accréditation du magasin Wal-Mart de Jonquière, en 2004. Radio-Canada a très bien documenté l'intimidation syndicale dont plusieurs travailleurs ont été victimes. Dans son reportage diffusé en 2005, la journaliste Julie Miville-Dechêne, maintenant présidente du Conseil du statut de la femme, commence par constater que «la campagne de signatures de cartes se passe souvent au domicile des salariés, le soir, sans témoin neutre». Elle poursuit en donnant la parole à une travailleuse qui préfère garder l'anonymat (on ne se demande pas pourquoi) et qui commente ainsi le comportement du représentant du Syndicat des travailleurs unis de l'alimentation et du commerce (TUAC) venu la solliciter chez elle : «Il a pas voulu partir, fait que quand je suis sortie de la salle de bain, il était assis dans le salon, il a été là plus d'une demi-heure dans la maison à essayer de me convaincre, puis je lui disais non, je lui demandais de s'en aller, mais il ne voulait pas. C'est là qu'à un moment donné, il s'est fâché puis là il me disait que j'étais rien qu'une bornée puis que j'étais pas capable de comprendre c'était quoi d'avoir des bonnes conditions. À un moment donné, ma fille s'est fâchée puis c'est là qu'elle lui a ouvert la porte puis elle l'a fait sortir. » La journaliste présente ensuite un autre travailleur, Jean-Sébastien Munger, qui a reçu à son domicile huit visites des organisateurs du TUAC à qui il avait pourtant déjà dit non.

De toute évidence les leaders syndicaux ne comprennent pas que « NO MEANS NO! ».

Le recours aux mensonges fait aussi partie de l'arsenal des représentants syndicaux dans leurs campagnes d'accréditation. Le même reportage cite un autre travailleur, Guillaume Paradis, qui s'est fait dire : « Signe cette carte-là, ça t'engage à rien, tu vas avoir de la documentation par la poste plus tard, puis après ça tu prendras une décision comme tu voudras. » Croyant sur parole le représentant syndical, monsieur Paradis a signé sa carte. Mais vous ne serez pas surpris d'apprendre qu'il n'a jamais pu s'exprimer par la suite puisque le syndicat a recueilli suffisamment de cartes (50 %) pour que la Commission des relations de travail approuve l'accréditation sans réclamer la tenue d'un vote secret. Une autre tactique syndicale bien connue consiste, par exemple, à raconter à 28 personnes sur 32 qu'elles sont les dernières à signer.

En théorie, la Commission des relations de travail (CRT) est censée agir comme chien de garde des campagnes d'accréditation. Or, selon un ex-commissaire, Jacques Doré, « des petits mensonges de cette nature-là, les commissaires considèrent que c'est pas si grave que ça ». Monsieur Doré va même jusqu'à admettre que la CRT ferme les yeux sur des pratiques carrément frauduleuses : « Il nous est arrivé de constater que certaines cartes avaient été forgées (sic), avait été signées, par exemple, par le représentant syndical au nom du salarié. Quand l'agent se rend compte de ça, il en fait pas tout un plat… » En effet, selon monsieur Doré, l'agent de la CRT s'en tient à suggérer au syndicat de retirer sa présente requête. Ce qui n'empêchera pas le syndicat de reprendre ultérieurement son manège. La journaliste de Radio-Canada en conclut que la CRT « […] blâme régulièrement les patrons qui violent les lois. Mais quand ce sont les syndicats qui dérapent, le tribunal règle d'habitude le problème plus discrètement ».

Dans le cas du Wal-Mart de Jonquière, au moins une travailleuse a demandé à la CRT d'indiquer au dossier qu'elle avait été victime de harcèlement. L'accréditation a été approuvée malgré les plaintes, que la journaliste de Radio-Canada n'a d'ailleurs pas pu consulter puisqu'elle s'est vue refuser tout accès au rapport de la CRT sur cette campagne d'accréditation.

Comme vous le voyez, on n'a plus les chiens de garde qu'on avait! Si la CRT est un chien de garde, c'est un chien qui souffre d'une double personnalité et qui, pendant que les travailleurs sont pris entre l'arbre et l'écorce, se comporte en caniche avec les syndicats et en pitbull avec les employeurs! Les travailleurs du Québec méritent mieux et, en attendant une véritable réforme, les syndicats devraient au moins avoir à payer eux aussi pour leurs écarts de conduite.

Par ailleurs, le fait que la signature d'une carte puisse vouloir dire à peu près n'importe quoi n'aide pas non plus à convaincre l'employeur que le syndicat représente la majorité de ses employés. Ça commence généralement bien mal des négociations qui devraient être de bonne foi, de part et d'autre.

Qu'on se le dise aussi franchement : l'une des conséquences du vote secret obligatoire serait de diminuer le taux de succès du processus d'accréditation syndicale. À l'inverse, de nombreuses études démontrent que l'accréditation automatique par simples signatures de cartes d'adhésion augmente le nombre de tentatives de syndicalisation et augmente le nombre d'accréditations.

Cette simple mesure pourrait expliquer à elle seule une bonne partie de l'écart entre le taux de syndicalisation au Québec et celui de nos voisins nord-américains.

Au Québec, des voix se font entendre pour promouvoir ce vote secret. Comme l'ADQ l'avait fait avant elle, la CAQ, lors de son congrès de fondation en avril 2012, à Victoriaville, a adopté cette proposition : « Un gouvernement de la Coalition Avenir Québec modifiera le Code du travail afin de rendre obligatoire le recours au vote à scrutin secret pour l'accréditation syndicale des travailleurs et pour la tenue de certains votes des travailleurs, comme le vote de grève et l'acceptation ou le refus de l'offre patronale. »

On attend que les autres partis politiques québécois démontrent autant de respect envers les travailleurs et envers la démocratie syndicale.

Les travailleurs québécois doivent être bien certains de leur choix et l'exprimer démocratiquement avant de se retrouver syndiqués parce que les conséquences pour ceux-ci peuvent être fâcheuses. Et même quand ils ne se syndiquent pas, ils se retrouvent parfois à l'être contre leur gré.

Le ministère du Travail du Québec analysait, en juin 2010, l'ensemble des conventions collectives signées au Québec et en arrivait à la conclusion que 7219 des 8404 conventions rendaient l'adhésion à un syndicat obligatoire. Plus précisément, 73 % des employés de ces entreprises sont contraints d'adhérer à un syndicat sans quoi ils peuvent perdre leur emploi. Dans une mise à jour en octobre 2011, le ministère du Travail nous révèle que 1394 des 1609 nouvelles conventions collectives déposées rendent toujours l'adhésion syndicale obligatoire. On est loin ici de parler d'un phénomène isolé.

Les syndicalistes rétorqueront qu'un travailleur peut se battre pour sa désaccréditation syndicale sur son lieu de travail. Mais pourquoi donc un travailleur mécontent devrait-il recevoir l'appui de 50 % de ses collègues afin de sortir le syndicat de son entreprise s'il n'a pour seule ambition que de se retirer personnellement? Pourquoi lui refuse-t-on le droit de ne pas être membre?

Je prends deux exemples de jeunes qui me racontent leurs expériences dans des emplois à temps partiel pour démontrer les aberrations auxquelles conduisent ces mesures. Le premier cas, un étudiant de Québec, raconte qu'il devait payer des cotisations syndicales pour travailler... au salaire minimum! Une chose est certaine, lui et tous ses collègues de travail n'auraient jamais pu se négocier des salaires plus bas et s'ils se désyndiquaient, ils auraient eu, au minimum, une augmentation de salaire équivalente au montant des cotisations syndicales. « En 2005, j'ai travaillé dans un PFK-Pizza Hut (celui sur le boulevard Hamel pour ne pas le nommer). Ces gens-là étaient syndiqués... au salaire minimum? Explique-moi ça. »

Le deuxième étudiant est encore plus volubile et a tenté, sans succès, de se retirer de son syndicat : « Quand j'avais 16 ans, au Provigo, on m'obligeait à payer 25 $ par semaine de syndicat... La convention obligeait les étudiants à travailler jeudi ou vendredi ET samedi ET dimanche. Bref, je faisais 25 à 30 heures par semaine, en plus de mes cours. En bref, où est Provigo? Ah oui, sur le bord de la faillite. Tous les employés ont des airs de cul dans face, dont moi-même, tellement nos horaires et la gestion du syndicat sont de la marde. Comme j'étais étudiant et que ce job n'était rien pour moi, j'ai demandé à ne plus faire partie du syndicat pour ne plus payer cette cotisation qui m'était inutile. Ma boss m'a regardé comme si j'étais un criminel et j'ai eu un avertissement. »

L'addition de ces trois mesures précises dont nous venons de discuter en détails fait des travailleurs québécois les moins libres en matière de droit d'association.

Résultat : le Québec a la législation la plus rigide en Amérique du Nord en matière de relations de travail. Ajouter à cela le fait que ces lois penchent systématiquement en faveur des syndicats et non des employeurs. Ces particularités ont de graves effets sur la croissance économique.

Mentionnons d'abord que le fait de syndiquer les employés d'une entreprise a des conséquences non négligeables qui réduit même considérablement la valeur de cette entreprise.

Deux chercheurs américains, David Lee et Alexandre Mas, ont tenté de mesurer l'impact à long terme de la syndicalisation des employés sur la croissance et le rendement de l'entreprise. Ils ont mesuré la valeur en bourse des entreprises qui y sont cotées à la suite d'une accréditation syndicale de leurs employés. Ils découvrirent, après avoir compilé les données sur pratiquement quatre décennies, que la valeur de l'entreprise diminue en moyenne de 10 %. Ils ont également comparé les entreprises qui se syndiquaient avec un groupe contrôle d'entreprises non syndiquées et arrivent pratiquement au même résultat d'une perte de 10 % à la suite de syndicalisation d'une entreprise. La rigidité des lois du travail au Québec ne fait donc rien pour encourager l'investissement privé.

Ce biais législatif en faveur des centrales syndicales amplifie aussi le caractère violent des relations de travail. Que ce soit lors des votes à main levée, lors des assemblées pour déterminer la stratégie à suivre en pleines négociations de travail, lorsqu'un groupe de travailleurs tente de changer de syndicat ou simplement de se désaccréditer, les débats dégénèrent souvent en tactiques d'intimidation. Un syndicalisme libre, comme il en existe dans la plupart des autres législations à travers le monde, permet au contraire de respecter le choix de chacun.

Tous les travailleurs de l'industrie de la construction que je connais désapprouvent la terreur organisée de la FTQ-Construction et de l'International. S'ils avaient le choix, plusieurs d'entre eux feraient comme la majorité de leurs confrères ontariens et se désyndiqueraient. Ils ne soutiendraient plus financièrement des tactiques condamnables. Mais parce qu'ils sont Québécois, ils n'ont pas cette option ou cette liberté de choix.

À titre de comparaison, chez nos voisins américains, l'accréditation d'un syndicat ne peut s'effectuer qu'après la tenue en bonne et due forme d'un scrutin secret où les travailleurs décident s'ils veulent oui ou non se syndiquer, à moins qu'un employeur reconnaisse volontairement un syndicat qui a obtenu la signature de cartes d'adhésion d'une majorité des employés.

Dans 28 des 50 États américains, les travailleurs syndiqués ne sont forcés de payer que la partie de leurs cotisations syndicales qui sert à négocier leurs conventions collectives et à représenter les travailleurs. Les Américains appellent ça le « agency fee ». Ce sont des États qui pratiquent le principe du « Closed-Shop », mais nul n'est forcé de payer la partie des cotisations qui sert à l'activisme politique et idéologique du syndicat.

Dans les 22 autres États, on reconnaît le droit au travail (*right-to-work*) où tout travailleur a la liberté de décider s'il veut se syndiquer ou non sans risque de perdre son emploi. Depuis qu'ils ont eu le droit d'adopter des législations *right-to-work* en 1947, ces 22 États font partie des plus prospères de la fédération américaine. Selon les chiffres du U.S. Bureau of Labor Statistics, année après année, on remarque que la progression de l'emploi dans les États *right-to-work* est en moyenne deux fois supérieure à celle observée dans les 28 autres États. C'est aussi dans ces États où les investisseurs et les entrepreneurs souhaitent le plus faire affaire. Curieusement, certains sondeurs notent même qu'une législation *right-to-work* serait plus importante que la question du fardeau fiscal de l'État au moment de choisir où investir.

Avant de conclure que les bonnes affaires des investisseurs se feraient sur le dos des travailleurs, il importe de noter que, selon les recherches du professeur James T. Bennett, le pouvoir d'achat, après impôt, des familles de travailleurs des États avec un *right-to-work* est plus élevé de 2852 $ par année, comparé aux familles des États avec « Closed-Shop ».

Le même phénomène avait aussi été observé en Nouvelle-Zélande, au début des années 90, lorsque le gouvernement avait décidé de libéraliser le marché de l'emploi.

Aussi paradoxal que cela puisse paraître pour certains, les données empiriques confirment que l'obligation de se syndiquer nuit à la création d'emploi et, à terme, au salaire des travailleurs. En donnant à tous le maximum de liberté au travail, on stimule la création d'emplois et, ultimement, une forte demande de main-d'œuvre générera toujours la meilleure garantie d'une croissance durable du revenu des employés.

La flexibilité des travailleurs et des employeurs pour s'ajuster au changement du marché demeure le meilleur gage pour générer une croissance de l'efficacité, un nombre d'emplois optimal et des salaires plus payants.

En mettant l'accent sur la syndicalisation et en facilitant son accréditation, plutôt que de favoriser la flexibilité du travail, nos politiques publiques québécoises diminuent ainsi la valeur de nos entreprises et, à terme, la création d'emplois et de richesse chez nous.

## Le cas de l'UPA

Permettez-moi d'ouvrir une petite parenthèse. Cet essai ne traite principalement que des grands syndicats, sans s'intéresser à la situation particulière des agriculteurs québécois. Pourtant, leur cas mérite un minimum d'attention même s'il n'est pas ici l'objet principal.

C'est en 1972 que les agriculteurs se prononcèrent par voie de référendum afin d'accorder à l'Union des producteurs agricoles (UPA) l'exclusivité de les représenter.

Même si la formule Rand ne s'applique pas à eux, c'est tout comme. Qu'ils soient membres ou non de l'UPA, tous les producteurs agricoles au Québec sont depuis contraints, en vertu de la Loi sur les producteurs agricoles, de payer des cotisations à l'UPA. Celle-ci récolte ainsi plus de 100 millions $ annuellement, sans nécessairement se soucier de la volonté et des besoins de ses membres. Elle jouit véritablement d'un monopole syndical permanent, pour ne pas dire éternel, sur tous les agriculteurs québécois.

En effet, aucun mécanisme démocratique n'est prévu pour permettre aux producteurs agricoles de se prononcer périodiquement sur l'organisme professionnel de représentation de leur choix. Une seule consultation a eu lieu, il y a plus de 40 ans, et ça finit là.

On ne parle pas ici d'un seul agriculteur qui n'a pas la possibilité de cesser de payer des cotisations ou qui préférerait adhérer à un autre syndicat. Tous les agriculteurs québécois sont otages de l'UPA, et ce, jusqu'à la fin des temps, qu'ils le veuillent ou non.

Un agriculteur peut bien, s'il le souhaite, adhérer à l'Union paysanne ou à n'importe quelle autre organisation, mais il doit continuer de payer ses cotisations à l'UPA qui seule est accréditée pour le représenter officiellement.

L'Observatoire de l'administration publique de l'École nationale d'administration publique n'a pas réussi à répertorier un seul autre cas ailleurs sur la planète où des agriculteurs sont aussi brimés en matière de liberté d'association. Partout, à l'exception du Québec, les agriculteurs ont le choix entre différentes organisations accréditées ou ont, encore mieux, le choix d'adhérer ou non à un de ces syndicats.

Par exemple, en Ontario, trois associations dûment accréditées se disputent l'adhésion des agriculteurs, soit la Fédération des agriculteurs chrétiens de l'Ontario, la Fédération de l'agriculture de l'Ontario et le Syndicat national des cultivateurs de l'Ontario.

Comme tout monopole, cette situation donne un pouvoir éhonté à quelques-uns et c'est l'ensemble de la société et des agriculteurs qui en paie le prix. L'absence de concurrence ne constitue jamais un modèle optimal.

# 5

# LES SYNDICATS DANS L'ARÈNE POLITIQUE PARTISANE

Pour comprendre la place démesurée des syndicats au Québec, il est essentiel de s'intéresser à leurs combats dans l'arène politique. Un des passe-temps préféré des syndicats consiste, certes, à s'activer politiquement, sans nécessairement tenter de se faire élire directement.

Ce réveil politique ne date pas d'hier. Au Québec, le tout commence à la fin du 19$^e$ siècle avec la politique municipale, l'endroit d'abord privilégié pour exercer une influence syndicale. C'est là qu'on voit apparaître les différentes organisations, telles que le Congrès des métiers et du travail du Canada (CMTC). La volonté d'influencer le politique se poursuivra jusque sur la scène fédérale, avec l'arrivée d'un parti politique syndicaliste : le Parti ouvrier.

Le Parti ouvrier connaît des débuts plus que modestes. De sa naissance en 1886 jusqu'à 1910, il ne fait élire qu'un seul député, Alphonse Verville, dans Maisonneuve. Son succès provoque au départ des espoirs chez les autres ouvriers, mais sans véritables résultats. Les électeurs préfèrent voter pour les vieux partis. Le parti se divise. La Fédération des clubs ouvriers prend en charge la politique municipale. La version fédérale du parti va toutefois encourager la renaissance du Parti ouvrier provincial. L'histoire se répète : aucun élu, une marginalisation et la version fédérale du parti disparaît dans le Cooperative Commonwealth Federation (CCF), un nouveau parti ouvrier qui donnera naissance, en 1961, à sa version aujourd'hui bien connue, le Nouveau Parti démocratique (NPD).

Tous ces événements auront l'effet d'une douche froide pour les syndicats. L'idée que les syndicats ne font que des représentations auprès des différents gouvernements prévaudra par la suite sur la politique partisane provinciale.

L'appui politique explicite de la FTQ à certains partis, comparativement à la présence politique officiellement plus éloignée de la CSN, peut s'expliquer par l'attitude de leurs ancêtres respectifs. Chez les internationaux, la Fédération américaine du travail (FAT) appuyait les politiciens protravailleurs, alors que du côté des syndicats catholiques, ils s'interdisaient de faire de la politique partisane. C'était même inscrit dans leurs constitutions.

La FTQ fait plus de politique partisane, lors des campagnes électorales, que la CSN. Elle donne d'ailleurs toujours son appui publiquement à un parti ou à un autre. La FTQ fut tout d'abord rattachée au NPD, sur la scène fédérale jusqu'à l'arrivée du Bloc québécois au début des années 90. Le NPD ne remplira cependant jamais véritablement les attentes de la FTQ au Québec. Elle retira donc son appui à ce parti pour le donner au Bloc.

Les syndicats militent pour obtenir ce qu'ils veulent, mais cela ne passe pas nécessairement par un positionnement partisan. Ça vient aussi de lobbying, de menaces, de grèves ou de propagande.

Toutefois, ils n'ont pas toujours réussi à faire ce qu'ils veulent, quand ils le veulent. Pensez au modèle de résistance, l'unioniste Maurice Duplessis, qui a fait trembler les syndicats, avec sa « loi du cadenas » de mars 1937 qui énonce : « Il est illégal pour toute personne qui possède ou occupe une maison dans la province de l'utiliser ou de permettre à une personne d'en faire usage pour propager le communisme ou le bolchevisme par quelque moyen que ce soit. » Il fera d'ailleurs perdre les accréditations aux syndicats qui sont dirigés par des communistes ainsi que ceux des secteurs publics qui veulent faire la grève, ce qui diffère des libéraux de l'époque qui font adopter des lois prosyndicales.

De nos jours, les trois centrales se prononcent pratiquement sur tous les sujets et les enjeux. Lorsque leurs cotisations ou leur pouvoir de négociation sont en jeu, elles ont compris que de se regrouper contre le gouvernement améliore leurs chances de succès. C'est ce qu'on appelle les fronts communs. Le premier front commun leur permit d'obtenir des gains qui n'avaient probablement pas de sens pour l'époque, mais que le gouvernement consentit devant la menace. Ils exigeaient un minimum de 100 $ de salaire hebdomadaire dans le secteur public, alors que rien ne se comparait à cela dans le secteur privé.

S'ils décident de mettre leur monde en grève, la province devient paralysée, immobile devant les syndicats. En 1964, avec l'instauration du Code du travail, le droit de grève dans les secteurs public et parapublic est interdit pour sauvegarder les services essentiels. Il faut comprendre qu'au début des années 60, les employés en lien direct avec l'État n'avaient pas le droit de se syndiquer.

La FTQ décide d'utiliser la menace d'une grève générale pour faire plier le gouvernement et l'obliger à revoir les dispositions du Code du travail. Du côté des enseignants, ils ne veulent pas être régis par cette loi d'exception. C'est pourquoi des grèves illégales éclatent aussi chez les professeurs. Les centrales finiront par se rassembler pour exiger le droit de grève dans la fonction publique.

Finalement, la menace et le chantage fonctionnent, les syndicats obtiennent ce qu'ils désirent, le droit de grève dans la fonction publique, « sous réserve de discernement »… L'histoire nous enseignera par la suite qu'on n'a pas tous la même définition de « discernement ». Pensez aux employés du CHU Sainte-Justine qui, dès qu'ils ont acquis le droit de grève en 1965, déclenchèrent une grève et prenaient ainsi les enfants-patients en otage pour dénoncer le coût trop élevé du stationnement.

Les centrales syndicales se prononcent sur d'autres sujets d'importance. Elles ont suivi le même parcours à propos des questions constitutionnelles et linguistiques. Elles privilégieront, en premier lieu, un Québec bilingue pour ensuite réclamer, à compter de 1969, qu'il soit unilingue français. Elles supporteront d'abord la confédération canadienne, pour ensuite vouloir faire du Québec un pays.

Les grandes centrales vont toutes se radicaliser dans la décennie des années 70. La CSN le fait en tenant un discours de lutte de classes et de socialisme. Non sans conséquence, car ses idéologies politiques lui feront perdre le tiers de ses membres en 1972, soit environ 70 000 syndiqués. Ce fut à la suite d'un conflit interne où les dirigeants de la centrale se divisèrent entre ceux qui souhaitaient respecter les injonctions et ceux qui souhaitaient les défier, même au risque de se criminaliser. Les plus modérés claqueront donc la porte de la CSN pour fonder la Centrale des syndicats démocratiques (CSD).

La CSD, c'est la plus jeune, mais aussi la plus traditionnelle des centrales. Elle s'engage moins directement dans les différents débats politiques. Elle affirme respecter le fait que ses syndiqués proviennent de différentes sphères politiques. Contrairement aux autres, elle dit fonctionner en coopération et non en affrontement avec le patronat.

De son côté, le syndicat de l'enseignement (CSQ) gardait d'abord ses distances quant aux revendications des deux autres. Il finira tout de même par se joindre aux deux autres grosses centrales, notamment lors des fronts communs. Une année avant de perdre son nom confessionnel, en 1966, la centrale décide de s'engager dans l'activisme politique. Elle aussi veut être sur la scène publique. L'enseignement, ce n'est pas assez, elle veut avoir son mot à dire sur l'ensemble des autres sujets de société. C'est là qu'apparaît le corporatisme de la centrale et ses revendications de plus en plus nombreuses. À la CEQ, on utilise les menaces de grève et de démission pour en arriver à ses fins. Son discours marxiste traduit sa radicalisation. La lutte des classes revient dans le conflit syndical. L'école devient son champ de bataille, où on fait la promotion active des valeurs prosyndicales. S'organiser pour lutter!

Le Parti québécois accède au pouvoir le 15 novembre 1976 avec un appui syndical significatif. Les gros organisateurs de la FTQ, spécifiquement formés à faire de la politique, étaient aux premières lignes, au service du parti. Pendant la campagne, les bonzes syndicaux avaient lancé des mots d'ordre assez clairs pour inciter leurs membres à « voter du bon bord ».

Ce nouveau copinage est d'autant plus surprenant que le premier ministre libéral sortant, Robert Bourassa, aura somme toute concédé beaucoup aux syndicats pendant ses deux premiers courts mandats, entre 1970 et 1976.

Quoiqu'il en soit, René Lévesque arrive en poste avec « un préjugé favorable aux travailleurs », un langage codé pour dire un parti pris prosyndical. Et dans les mois qui suivent l'arrivée des souverainistes au pouvoir à Québec, ils retourneront l'ascenseur à leurs copains syndicalistes comme aucun gouvernement ne l'avait fait en si peu de temps.

Dès 1977, les péquistes adoptent notamment la loi 45, qui interdit l'embauche de travailleurs de remplacement (mieux connue sous le nom de loi anti-scabs), qui oblige l'employeur à percevoir les cotisations syndicales à la source et qui baisse de 50 % à 35 % le pourcentage de signatures d'employés requis pour qu'un syndicat puisse forcer la tenue d'un vote d'accréditation. Ils procédèrent même à des hausses salariales historiques à la veille du référendum de 1980.

Cependant, rattrapé par la crise économique du début des années 80 et les effets dévastateurs de ses politiques sociales-démocrates qui provoquent une crise des finances publiques, le gouvernement péquiste devra faire des choix difficiles et s'attaquer à ses alliés syndicaux.

Entre 1982 et 1983, le gouvernement du Parti québécois coupe de 21 % le salaire de ses 320 000 employés, interdit la grève à ceux-ci, modifie le régime de retraite des employés du secteur public et exige le maintien de services essentiels dans le domaine de la santé.

Aussi curieux que cela puisse paraître, René Lévesque agira avec les syndicats des employés du secteur public québécois pratiquement comme Ronald Reagan agira, en 1982, avec le syndicat des contrôleurs aériens ou Margaret Thatcher, en 1984, avec le syndicat des mineurs.

Malheureusement, les décrets adoptés en 1982 contre le puissant front commun des syndicats ne seront essentiellement que des mesures conjoncturelles et non structurelles. Ils n'éliminent pas, par exemple, les législations déséquilibrées accordées lors du premier mandat péquiste. Tout ce que le gouvernement cherchait à faire était d'équilibrer son budget sans nécessairement toucher aux privilèges syndicaux à long terme.

Les centrales n'avaient pas prévu ce revirement politique des péquistes.

Les politiques gauchistes fonctionnent bien pour acheter des votes, mais pour ce qui est de maintenir la santé financière d'un État, c'est autre chose! Les péquistes commencent donc à mettre en vigueur des politiques dites néolibérales. Ce qui mènera le PQ à perdre temporairement l'appui des syndicats, surtout de la FTQ.

Quand un syndicat appuie un parti politique, il ne le fait pas de manière désintéressée.

Plus récemment, le 16 juillet 2012, la campagne électorale n'était même pas encore commencée au Québec que la FTQ dressait déjà sa liste d'épicerie à l'attention des partis politiques afin qu'ils se prononcent sur ce que la FTQ considère être les priorités.

Elle présente même sa propre plate-forme électorale qui compte quatre thèmes, soit les régimes de retraite, le droit du travail, l'activité économique et les services publics.

Avant même le début des hostilités électorales, la FTQ recommençait ses mêmes vieilles tactiques de diabolisation de tout ce qui pourrait porter atteinte à ses intérêts corporatistes.

En se comportant en bonhomme sept heures, elle prévenait ses membres contre la droite, lire la CAQ et, dans une bien moindre mesure, le PLQ : «Il existe aujourd'hui des partis politiques qui, au nom du changement, voudraient revenir en arrière. Ces partis sont les défenseurs de la privatisation et de la marchandisation des services publics, les promoteurs des intérêts individuels plutôt que des intérêts collectifs et les dénigreurs du rôle de l'État dans l'économie. Au service d'une minorité, ces partis voudraient rayer du vocabulaire les mots syndicalisation, négociation, grève et ils voudraient balayer du revers de la main les droits démocratiques et les acquis sociaux, pour mieux favoriser la maximisation des profits et les privilèges du patronat.»

S'ils n'avaient pas été terrorisés par le mammouth FTQ, voici ce que les partis politiques visés par cette publicité auraient dû répondre, en la paraphrasant :

« Il existe aujourd'hui des organisations syndicales qui, au nom du statu quo, veulent nous refuser la modernité. Ces syndicats sont les défenseurs des monopoles publics et de la vampirisation des contribuables, les promoteurs de leurs intérêts corporatistes plutôt que de l'intérêt collectif et les profiteurs du rôle de l'État dans l'économie. Au service d'une minorité, ces syndicats voudraient rayer du vocabulaire les mots liberté d'association, prospérité, relève et ils voudraient balayer du revers de la main les droits démocratiques des travailleurs et les baisses d'impôt, pour mieux favoriser la maximisation des cotisations et les privilèges de l'État. »

Au même moment, toujours à quelques jours du déclenchement de la campagne électorale à l'été 2012, la CSN lançait elle aussi sa propre campagne publicitaire, cette fois-ci contre la loi 78, cette loi spéciale qui encadre, pour ne pas dire limite, le droit de manifester.

Je ne veux surtout pas ici défendre cette loi que je considère ignoble et dangereusement inutile. Là n'est pas la question. J'ai eu la chance, pendant son adoption, de m'exprimer largement sur toutes les tribunes qui me sont offertes pour expliquer mon opposition.

J'éprouve tout de même un profond malaise lorsque je vois une organisation syndicale détourner les cotisations obligatoires de ses membres pour promouvoir certaines idées politiques, que je sois en accord avec celles-ci ou non.

Cette campagne publicitaire contre la loi 78 a coûté 200 000 $ aux travailleurs syndiqués CSN, sans qu'aucun n'ait eu un mot à dire. Les sondages d'opinion démontrent clairement que la population québécoise reste fortement divisée devant cette législation, qui se voulait une réponse aux manifestations étudiantes. Il y a très certainement des dizaines de milliers de membres de la CSN qui approuvaient cette loi.

Plus largement, cette publicité dénonçait aussi l'ensemble du bilan libéral, à quelques jours du déclenchement des élections : le financement occulte du parti, la collusion, les places en garderies, les gaz de schiste, le Plan Nord, etc.

Puisque la loi électorale québécoise interdit toutes formes de publicités payées par un tiers en campagne électorale, on peut aussi considérer que cette campagne publicitaire violait, à tout le moins, l'esprit même de la loi.

Si un autre type d'organisation avait agi avec autant de mauvaise foi, de manière aussi biaisée et en utilisant des fonds collectés à des gens qui ne sont absolument pas d'accord, tout le monde se scandaliserait. Puisqu'il est question des syndicats, on ne fait que hausser les épaules et se dire : « Rien de nouveau sous le soleil! »

Il faudra pourtant bien un jour que des politiciens québécois aient le courage d'affronter ces syndicalistes qui se croient tout permis et qui s'imposent dans les débats électoraux, sans invitation des électeurs.

Les baby-boomers ont dit aux curés de se la fermer en campagne électorale, qu'ils étaient capables d'élire leurs députés sans leur aide. Les X, les Y et les Z devront un jour se lever pour remettre les syndicalistes à leur place, soit de négocier des conditions de travail, et leur dire aussi de se la fermer quand vient le temps de décider pour qui voter. Merci!

# 6

## PARRAINS DE LA GAUCHE : FEMMES, ASSOCIATIONS ÉTUDIANTES, GROUPES COMMUNAUTAIRES...

La propagande syndicale ne se limite pas uniquement à l'intervention des syndicats sur la place publique. Elle se retrouve aussi au cœur du discours de nombreuses organisations supposées représenter différents autres groupes sociaux. Partout, sous plusieurs formes, pour différentes causes, les syndicats s'infiltrent.

Rien n'illustre mieux l'emprise des syndicats sur un paquet d'organisations de la société civile que le rôle joué par ceux-ci lors de la crise étudiante du printemps 2012 au Québec.

Ce qui était un secret de polichinelle fut révélé au grand jour dans un article-choc de *L'Actualité* du 15 juin 2012 par le journaliste Alec Castonguay. On y apprend, en détail, comment la crise a été préparée de longue date, concoctée notamment dans les bureaux de la CSN sur l'avenue De Lorimier, un an plus tôt, le 20 juin 2011 au soir.

Les présidents de la Fédération étudiante universitaire du Québec et de la Fédération étudiante collégiale du Québec, Martine Desjardins et Léo Bureau-Blouin, ont alors expliqué aux dirigeants de sept syndicats québécois le combat qu'ils s'apprêtaient à mener contre la hausse annoncée des frais de scolarité proposée par le gouvernement Charest.

Ils élaborèrent ensemble un plan où les grandes centrales syndicales s'engageaient à contribuer financièrement à la cause et à les soutenir, plus souvent qu'autrement, dans l'ombre.

Le gouvernement les forcera à sortir un peu de leur cachette lorsqu'il invita les présidents de la FTQ, de la CSN et de la CSQ à négocier avec les étudiants le 4 mai 2012. Les libéraux se sont sans doute dit que tant qu'à négocier avec des marionnettes, aussi bien inviter aussi ceux qui, derrière, tirent les ficelles. Tout cela, évidemment, sans l'assentiment des syndiqués, souvent même carrément en violation de leur propre convention collective.

À titre d'exemple, un enseignant m'envoie le message suivant : « Je suis prof à l'UQAM, et donc sujet à des cotisations assez salées, 137,12 $ sur le dernier talon de paie (donc à toutes les deux semaines). Est-ce que mes cotisations sont utilisées à des fins corporatistes? C'est une blague, ou quoi? Des voyages en autobus à Victoriaville, des pancartes utilisées pour empêcher le personnel d'entrer dans les pavillons du campus et pour empêcher les étudiants d'exercer leurs droits d'assister aux cours pour lesquels ils ont payé, et j'en passe. Je ne sais pas si tu es familier avec notre convention collective, dont la clause 2.06 spécifie : "Le Syndicat n'ordonnera, n'encouragera, ni n'appuiera aucun ralentissement des activités normales de l'Université. " Il me semble que tout ce que fait notre syndicat depuis le mois de février est d'appuyer le ralentissement des activités normales de l'Université. »

Tout aussi troublante est la missive d'un travailleur payé au salaire minimum qui m'écrit : « Je suis étudiant. Je travaille à temps partiel dans le secteur du détail (alimentation) et je paie 6,75 $ par semaine pour mon syndicat que je n'ai jamais vu sur mon lieu de travail. Ça représente les 350 $ de hausse prévue à ma facture universitaire. Ironique, non? »

Et les grandes centrales ne se contentent pas de financer et de soutenir uniquement les fédérations étudiantes. Ils utilisent l'argent des cotisations syndicales pour promouvoir leurs causes sociales et se donner des porte-paroles féministes, écologistes, étudiants, anti-Israël, autochtones, pauvres, altermondialistes, artistiques, gais, etc. Grand nombre de ces organisations ne deviennent souvent que des paravents ou des façades pour continuer de propager le message politique des syndicats.

Les centrales paient, entre autres choses, pour les salles des réunions de chacun de ces groupes, pour noliser les autobus en vue de transporter les gens des régions, pour monter des sites internet, pour organiser des rallyes et pour distribuer des affiches ou des banderoles, pour défendre des contrevenants devant les tribunaux et pour fournir des services de communication (rédiger des communiqués de presse, les envoyer et coordonner les conférences de presse ou les entrevues avec les médias).

Parce qu'elle fait preuve d'un peu plus de transparence que les autres, on sait par exemple que la CSN, à elle seule, a versé au moins 2 millions $ à ces différents groupes sociaux entre 2008 et 2011.

Voulez-vous bien me dire qu'est-ce que le travailleur moyen a à gagner dans toutes ces luttes? Pourquoi est-ce qu'on ne lui a jamais demandé son opinion sur ces moult sujets avant d'y injecter son argent?

Les travailleurs syndiqués québécois financent ainsi, bien involontairement, souvent sans même le savoir, une multitude de causes encore plus politiques ou carrément illégales.

J'ai été candidat pour la défunte Action démocratique du Québec en 2003, à Deux-Montagnes, dans la région des Basses-Laurentides. Je puis vous assurer que les trois grandes centrales syndicales ont dépensé bien plus d'argent contre l'ADQ pendant cette campagne dans ma circonscription que le Parti québécois et le Parti libéral réunis. Elles ont utilisé l'argent de leurs membres, parfois des sympathisants ou des militants de l'ADQ, pour faire campagne contre nous. D'ailleurs, le Directeur général des élections du Québec les a condamnées ultérieurement et elles ont dû débourser des sommes dérisoires pour avoir contrevenu à la loi.

La même pratique se reproduit malheureusement élection après élection, pratiquement à tous les niveaux.

Plus récemment, lors de la dernière élection fédérale, la FTQ annonçait publiquement, le 11 avril 2011, qu'elle formait des organisateurs en vue d'aider le Bloc québécois, aux frais des syndiqués et sans leur demander leur avis. À cette élection-là, les syndicats avaient décidé de bloquer la route aux conservateurs de Stephen Harper. Les syndicalistes étaient tellement connectés sur la réalité de leurs membres qu'ils jetèrent leur dévolu sur un Bloc qui ne fera élire que quatre députés plutôt que le NPD, le parti traditionnel des syndicats canadiens-anglais, qui fera élire 59 députés au Québec. Si la FTQ avait consulté son *membership*, elle se serait possiblement évité cette humiliation.

Les centrales syndicales québécoises se mêlent aussi de politique internationale avec l'argent provenant des travailleurs.

Parmi tous les dossiers internationaux dans lesquels interviennent les syndicats, celui de la question israélo-palestinien est sans doute le plus visible, pour ne pas dire le plus explosif. Des résolutions de boycott économique, culturel et universitaire d'Israël ont été adoptées par trois syndicats importants au cours des dernières années : la FNEEQ-CSN (2007), la CSQ (2009) et le Conseil central métropolitain de la CSN (2010). Mais les centrales ne se contentent pas de résolutions. La FNE-

EQ-CSN, le STTP-FTQ et le SFPQ se sont joints à des groupes de la gauche radicale pour créer, lors du Forum social québécois de 2009, une structure chargée de promouvoir activement le boycott d'Israël au Québec. Nommé Comité Québec-BDS (BDS pour Boycott, Désinvestissement et Sanctions contre Israël), le groupe s'active pour que le gouvernement du Québec suspende les ententes de coopération conclues avec Israël par le gouvernement de Lucien Bouchard en 1997 et reconduites en 2007 par celui de Jean Charest.

Les travailleurs syndiqués, qui défraient le coût des activités de cette campagne, ne partagent pas nécessairement le même engagement anti-Israël et antisioniste que leurs leaders syndicaux. On sait, par exemple, que très peu de syndiqués de la base ont participé, en 2010, à ce qui se voulait un congrès historique de trois jours sur le boycott d'Israël. Il faut dire que les personnalités appelées en renfort pour attiser la flamme anti-Israël n'étaient pas des plus inspirantes, c'est le moins qu'on puisse dire. Un des conférenciers invités, le leader syndical sud-africain Bongani Masuku, a même été prié de ne pas se présenter après que le Comité Québec-Israël eut dévoilé que monsieur Masuku est un antisémite notoire qui a été jugé coupable de discours haineux par la Commission sud-africaine des droits de l'homme. Une conseillère politique de la CSQ a, par ailleurs, avoué publiquement, lors d'une « journée de réflexion intersyndicale » tenue en 2011, qu'il avait été « très ardu de mobiliser les membres sur une question de boycott, car ceux-ci favorisaient (sic) plutôt l'adoption de mesure (sic) permettant le développement économique de la Palestine ».

En d'autres mots, et comme l'écrivait le blogueur David Ouellette, « la CSQ peine à imposer une campagne de dénigrement d'Israël à ses 190 000 membres, lesquels, on s'en doute, ne sont généralement pas plus des antisionistes radicaux que le reste de la population québécoise, mais d'honnêtes gens qui ont le bon sens de vouloir plutôt adopter des mesures positives à l'endroit du conflit israélo-palestinien. Malheureusement pour les membres de la CSQ (et pour les Palestiniens), leurs représentants syndicaux préfèrent mettre leurs cotisations obligatoires à contribution pour promouvoir une campagne odieuse qu'ils ne soutiennent apparemment pas et dont il convient de se demander s'ils ont été vraiment consultés avant son adoption ».

La participation des centrales syndicales québécoises à l'agitation anti-israélienne ne date pas d'hier. En fait, les leaders syndicaux ont fait bien plus qu'y participer. Ils en ont été historiquement le fer de lance au Québec, dès la fin des années 60. Le journaliste Jean-Jacques Samson, du *Journal de Québec*, se souvient que le chef syndical Michel Chartrand « développait alors dans les instances de la CSN un discours très antisémite ». En 1976, monsieur Chartrand s'est rendu en Lybie avec quelques collègues pour participer à des discussions sur le racisme et le sionisme dans le cadre d'une conférence sous les auspices du dictateur Mouammar Kadhafi. Le président de la Centrale de l'enseignement du Québec (CEQ), Yvon Charbonneau, était lui aussi de ce voyage et, en 1983, sa centrale a produit et diffusé dans les écoles des milliers d'affiches et de tracts anti-israéliens. Cette campagne de propagande avait soulevé un tollé, d'autant plus que monsieur Charbonneau avait refusé d'en révéler le coût. Dans un éditorial, *La Presse* posait alors une question on ne peut plus pertinente, encore aujourd'hui : « Au fait, les 70 000 membres de la CEQ se sentent-ils concernés par ces initiatives? (…) Tout cela et la propagande qui l'accompagne sont-ils financés à même leurs cotisations? Les approuvent-ils? Sinon, pourquoi ne protestent-ils pas? »

Certains syndiqués ont heureusement le courage de protester contre ce type d'activisme politique aux frais des travailleurs. Au début des années 90, un enseignant ontarien au collégial en a eu assez et s'est rendu jusqu'en Cour suprême pour contester le fait que son argent servait notamment à financer le NPD et des campagnes pour le désarmement. Dans ce qu'il est maintenant convenu d'appeler le jugement Lavigne, rendu en 1991, la Cour conclut qu'il s'agit bel et bien d'une violation de l'article 2d de la Charte canadienne des droits et libertés, mais que cela est justifié dans une société libre et démocratique. On peut lire dans le jugement : « Il y aura atteinte à la liberté d'association du membre d'une unité de négociation s'il est astreint à verser des cotisations qui sont utilisées pour appuyer des causes, idéologiques ou autres, qui ne sont pas directement liées à la négociation collective. » Donc, que le syndicat utilise l'argent pour de l'activisme politique constituait une atteinte au droit de l'enseignant, mais la Cour conclut que c'est raisonnable que l'employé paie des cotisations sans savoir à quelles fins elles serviront.

Pourtant, pas besoin d'un jugement de la Cour suprême pour comprendre qu'un travailleur devrait avoir le droit de décider par lui-même comment il souhaite disposer de son argent, quelle cause ou quel parti politique il veut financer. Ce n'est pas, il me semble, à ses leaders syndicaux de décider à sa place de choses aussi personnelles.

Présentement, notre Code du travail fait abstraction de ce droit fondamental et oblige tous les travailleurs syndiqués à verser des cotisations, sans savoir où elles se retrouvent. Nous constituons vraiment un cas très particulier au Québec et au Canada. Nous sommes pratiquement les derniers dans le monde démocratique à tolérer un tel abus.

L'Union européenne, par exemple, a jugé irrecevable, en 2007, cette obligation de payer des cotisations qui servent à des fins autres que celles reliées à la représentation du travailleur. Cinq travailleurs suédois soutenaient, selon le jugement rendu par la Cour européenne des droits de l'Homme, « avoir été contraints de contribuer au financement des activités générales d'un syndicat contre leur gré et au même titre que des syndiqués, ce qui s'apparentait, selon eux, à une affiliation forcée au syndicat ». La Cour a conclu qu'il y avait un manque de transparence de la part du syndicat envers ces travailleurs qui cotisaient contre leur gré. Il y avait donc une violation de la convention européenne des droits de l'Homme.

Aux États-Unis aussi, comme on l'a vu précédemment, les syndiqués sont tenus de payer que les *agency fees*, sans avoir à supporter financièrement l'activisme politique et idéologique de leur syndicat. Aucun travailleur américain n'est contraint de payer pour financer une organisation qui fait la promotion du contraire de ce qu'il pense.

Il est vivement temps de reconsidérer cette capacité qu'ont présentement nos syndicats à encaisser des cotisations et à les détourner vers des organisations idéologiques qui répètent la cassette de la gauche syndicale. C'est une violation pure et simple de la liberté d'expression et de nos droits démocratiques, ce qui n'est pas sans ressemblances avec les organisations fantoches qui font l'éloge des pires dictateurs dans les régimes totalitaires.

# 7

## LA FONCTION PUBLIQUE PRISE EN OTAGE

L'idée de donner aux employés de la fonction publique le droit de se syndiquer et de faire la grève a longtemps fait l'objet d'une grande résistance. Au Québec, on connaît la bataille acharnée de Maurice Duplessis contre la syndicalisation des fonctionnaires. Le « cheuf » considérait que ceux-ci étaient les seuls à produire les services de l'État, sans concurrence possible. Ils ne devaient donc pas avoir le droit de se syndiquer.

Comme l'explique bien l'économiste Vincent Geloso : « De l'avis de Duplessis, la syndicalisation du secteur public aurait donné trop de pouvoirs aux fonctionnaires qui auraient fini par prendre les contribuables en otage et abuser de leur puissance pour avantager leurs intérêts avant ceux du public. »

Il ajoute judicieusement que : « Deux travailleurs à compétences égales dans des emplois à charge égale auront des revenus très différents si l'un d'entre eux travaille dans le secteur public. C'est celui qui travaillera pour le public qui aura un salaire plus élevé parce que son pouvoir de négociation est plus grand, personne ne peut le remplacer. D'autre part, le politicien n'essaie pas de maximiser son profit d'entreprise lorsqu'il négocie avec le syndicat de la fonction publique, il cherche à maximiser ses chances de réélection. Aux yeux du politicien, pelleter les problèmes vers l'avant est une bonne option. »

Peu importe ce qu'on peut penser aujourd'hui de l'ensemble de l'œuvre de Duplessis, force est de constater qu'il aura été, à cet égard tout au moins, un visionnaire.

D'ailleurs, il n'était pas le seul à s'inquiéter de ce qui arriverait d'une fonction publique syndiquée mur à mur. Au sud de nos frontières, le père du *New Deal*, héros du syndicalisme, à la tête du Parti démocrate qui jouit de l'appui inconditionnel des syndicats, le président américain Franklin D. Roosevelt écrira même : « Une attention particulière devrait être portée à la relation spéciale qui existe entre les employés du secteur public, le public lui-même et le gouvernement, ainsi que les obligations qui en ressortent. Tous les employés du gouvernement devraient réaliser qu'il est impossible de prendre la négociation collective telle que nous la voyons normalement et de la transplanter dans le secteur public. La négociation dans le secteur public est distincte et comporte ses propres limites insurmontables. La nature même du gouvernement, ainsi que son but en tant qu'entité, rend impossible aux fonctionnaires de contraindre son employeur. L'employeur, c'est le peuple entier, qui s'exprime à travers les lois adoptées par les représentants. Particulièrement, j'aimerais mettre l'accent sur ma conviction que les méthodes des militants n'ont aucune place dans le fonctionnement des organisations des employés du gouvernement. C'est sur ces employés que repose le devoir de servir la nation. Cette obligation est primordiale. Une grève des employés de la fonction publique ne fait que manifester leur intention de paralyser le gouvernement. Ces actions paralysantes de l'État sont intolérables et inimaginables. » (traduction libre)

Le père de la Révolution tranquille, Jean Lesage, ira initialement dans le même sens que son prédécesseur Maurice Duplessis et refusera aussi les demandes de syndicalisation de la fonction publique. Comme je l'ai souligné précédemment, il considérait que « la reine ne négocie pas avec ses sujets ». En 1966, le gouvernement libéral reculera cependant et concèdera le droit de se syndiquer à ses employés. Les effectifs de la CSN vont alors plus que doubler pratiquement d'un seul coup, passant de 95 000 à plus de 200 000. L'écart depuis ce temps s'est creusé entre deux réalités de plus en plus distinctes du travail au Québec : ceux qui sont à l'emploi de l'État, soit plus de 20 % des travailleurs, et ceux qui travaillent dans le secteur privé. Le secteur public est aujourd'hui quatre fois et demie plus syndiqué que le privé.

Nos révolutionnaires tranquilles voyaient cette transformation comme une grande avancée, un pas vers la modernité. En fait, on venait possiblement d'ouvrir une canne de vers que personne n'a encore été capable de refermer. Ou plutôt, on venait de faire entrer le loup dans la bergerie.

Depuis, c'est la permanence d'emploi des fonctionnaires et la règle de l'ancienneté qui prévalent. On voulait éviter et prévenir toute forme d'ingérence politique dans la gestion du personnel à l'emploi du gouvernement. On s'est collectivement, comme contribuables, livré pieds et poings liés aux grandes organisations syndicales.

On a accordé cette inamovibilité des serviteurs de l'État en échange d'aucun autre contrepoids. Dans le secteur privé, cette sécurité d'emploi absolue et blindée n'existe nulle part.

Comment l'État peut-il maintenant se prémunir contre les employés médiocres? Comment les identifier, les évaluer et les mettre à la porte? À chaque fois qu'un gouvernement ou un politicien propose quelque mesure que ce soit qui pourrait effectivement améliorer l'efficacité ou l'imputabilité des employés publics, les syndicats montent aux barricades et menacent de tout faire sauter.

D'ailleurs, vous ne trouvez pas ça bizarre que les syndicats de la fonction publique passent leur temps à nous casser les oreilles avec l'importance de la qualité des services publics, à quel point c'est important et combien l'État devrait investir tellement plus là-dedans, combien les contribuables devraient faire davantage leur part pour ces services on ne peut plus essentiels. Puis, le jour où une orientation gouvernementale prise par ceux qui ont un mandat démocratique de gouverner ne fait pas leur affaire, ils se mettent en grève, prônent même parfois la désobéissance civile, procèdent même parfois à des saccages. Comme si leurs petits acquis devenaient subitement tellement plus importants que le bien et le service publics.

Imaginez un instant le tollé que provoquerait un gouvernement qui aurait le courage de remplacer l'ancienneté par la compétence. Pourtant, c'est la règle de base à laquelle l'écrasante majorité des travailleurs dans le secteur privé sont confrontés tous les jours. Les hausses de salaire sont généralement conditionnelles à des gains de productivité pour réduire les coûts de fonctionnement de l'entreprise. Substituer la compétence à l'ancienneté permettrait aussi de faire preuve d'équité envers la jeune génération, celle qui est beaucoup plus formée, plus ouverte sur le monde et mieux aguerrie aux nouvelles technologies.

De nombreux pays instaurent de plus en plus des mécanismes de gestion de leurs ressources humaines afin d'introduire plus de flexibilité et, ultimement, de productivité. Les promotions se donnent en fonction du rendement. La permanence est graduellement remplacée par des contrats de travail à durée déterminée, renouvelables ou non, selon les besoins de l'employeur et les résultats de l'employé. C'est le cas notamment en Suède, pourtant le bastion traditionnel de la social-démocratie.

Et non seulement notre fonction publique ultrasyndiquée est-elle inflexible et hostile au changement, elle coûte aussi un bras pis une jambe.

Ne vous fiez pas juste au rapport de l'Institut de la statistique du Québec qui indique que les employés du secteur public et parapublic ont une rémunération globale supérieure de 3,6 % par rapport à celle des employés du secteur privé, dans les entreprises comptant plus de 200 employés. L'étude ne considère donc pas tous les autres employés de PME, ceux à l'emploi de l'écrasante majorité des entreprises au Québec.

Comme le suggérait mi-sérieux un blogueur, si les auteurs de cette étude n'étaient pas syndiqués, avec une permanence d'emploi dans le secteur public, ils auraient instantanément perdu leur job pour incompétence.

S'ajoutent à ces chiffres le fait que les employés de l'État travaillent 140 heures de moins par année et bénéficient de conditions de travail bien plus avantageuses, sans oublier la sécurité d'emploi et les régimes de retraite à prestations déterminées.

La Fédération canadienne de l'entreprise indépendante (FCEI) arrive avec des chiffres beaucoup plus près de la réalité en intégrant tous ces autres avantages : un employé de l'État gagnerait 29 % à 43 % de plus que celui qui travaille dans le secteur privé.

Le privilège le plus scandaleux octroyé aux syndicats par le gouvernement est, certes, le généreux régime de retraite à prestations déterminées.

Pour vulgariser, comprenons qu'il existe généralement deux grands types de régimes de retraite :

1 Les régimes à prestations déterminées qui fixent d'avance le montant auquel vous aurez droit à la retraite, peu importe le rendement de l'argent investi. Par exemple, prenons le cas d'un fonctionnaire. Appelons-le Jean. Il a commencé à travailler en 1974 au ministère du

Revenu. Il avait 25 ans. Il a pris sa retraite en 2009, à l'âge de 60 ans, après 35 ans de cotisation au Régime de retraite des employés du gouvernement et des organismes publics (le fameux RREGOP). Il reçoit depuis 70 % de son salaire annuel moyen des cinq meilleures années travaillées. Ce montant est indexé annuellement à 50 % de l'inflation ou à l'inflation moins 3 %, dépendamment lequel est plus généreux pour lui. Si sa conjointe Jeannette lui survit, elle aura droit à une rente de 50 % indexée jusqu'à sa mort. C'est le gouvernement du Québec qui assume seul les risques financiers d'un tel régime. Si les marchés offrent des rendements médiocres, comme ce fut le cas ces dernières années, Jean continue de recevoir 100 % de sa pension et c'est le gouvernement seul qui doit renflouer la caisse de retraite qui s'est vidée.

2 Les régimes à cotisations déterminées ne fixent aucune rente à la retraite. L'employé et l'employeur cotisent en fonction des taux négociés dans la convention collective. Le montant reçu à la retraite dépendra du rendement de l'argent investi. C'est l'employé qui assume entièrement les risques financiers. Quand les marchés s'écroulent, le montant reçu en prestation de retraite suit la même tangente.

Selon la Régie des rentes du Québec, plus de 99 % des employés du secteur public sont couverts par un régime à prestations déterminées, tandis que les trois quarts des employés du secteur privé n'ont pas de régime de retraite ou en ont un à cotisations déterminées.

En cédant aux demandes syndicales sur les régimes de retraite, le gouvernement a littéralement créé deux catégories de citoyens, ceux qui bénéficient d'un régime de retraite doré et ceux qui n'en bénéficient pas, mais qui doivent payer, via leurs taxes et impôts, celui des autres. Le maintien des régimes publics de pensions à prestations déterminées menace même notre filet social. Le gouvernement pourra de plus en plus difficilement respecter les engagements pris envers ses ex-employés.

L'Institut C.D. Howe estime qu'il faudrait à chaque Canadien des économies équivalentes à 2 millions $ en REER pour profiter d'une pension comparable à celles offertes en moyenne dans le secteur public.

Certains analystes parlent déjà de « l'apartheid des pensionnés du secteur public » ou de la « caste des privilégiés » pour décrire ceux qui en profiteront par rapport à ceux qui ne feront que payer.

Fort de l'appui de la Fédération québécoise des municipalités, le maire de Québec, Régis Labeaume, a entrepris ces derniers mois une véritable croisade afin de s'attaquer à ces avantages consentis par ses prédécesseurs aux syndicats des employés de sa ville, notamment éliminer les planchers d'emplois, faciliter le recours à la sous-traitance, obtenir le droit de lock-out pour les villes et réformer les régimes de retraite des employés municipaux afin d'en résorber le déficit.

Il souhaite enfin changer le rapport de force avec ses syndicats qui présentement lui dictent ses choix budgétaires. Il se dit pris dans une « camisole de force ». La masse salariale de ses employés constitue son plus gros poste de dépenses, comme cela est pratiquement le cas dans toutes les administrations gouvernementales au pays. Les régimes de retraites correspondent maintenant, à eux seuls, à 16,9 % de la rémunération et ce chiffre ne cesse de croître. Le déficit de ce régime est estimé, pour la Ville de Québec uniquement, à plus de 659 millions $.

À Montréal, la situation est encore plus catastrophique. Le déficit de l'ensemble des régimes de retraite des employés de l'État au Québec s'élevait, en novembre 2011, à plus de 75 milliards $. Et pratiquement aucun autre élu ne semble se soucier de ce gouffre financier qui annonce pourtant un sombre avenir.

Les employés à la retraite vivent de plus en plus longtemps, les taux d'intérêts des placements sont faibles et les rendements boursiers des dernières années anémiques.

Il faut se rappeler qu'un employé de l'État paie des cotisations, pas un retraité de l'État. On voit ici un clivage entre l'intérêt à long terme du syndiqué et celui à court terme du syndicat. Officiellement, les centrales défendent le principe des régimes à prestations déterminées, mais en pratique, ils s'accommodent très bien des déficits actuariels dont il est ici question. L'intérêt du syndicat est de voir l'État consacrer ses ressources limitées à embaucher toujours plus d'employés qui versent des cotisations plutôt que d'améliorer véritablement le sort des travailleurs à la retraite qui ne paient plus de cotisations.

Comme solution, le maire Labeaume propose d'alléger les charges en assumant à part égale (les Villes et leurs employés) le déficit des fonds de pension.

L'Union des municipalités du Québec (UMQ) partage les mêmes inquiétudes et propose de mettre en place des régimes de retraite à prestations ciblées, et non déterminées. On ne garantirait pas l'indexation à l'inflation et l'âge de la retraite serait, de son côté, haussée.

Louis Bernard, qui a été chef de cabinet de René Lévesque, premier haut-fonctionnaire du Québec et candidat à la direction du Parti québécois, abonde dans le même sens en écrivant : « Elles (les Villes) sont donc en position de relative faiblesse par rapport à leurs employés syndiqués et cette faiblesse s'est fait sentir non seulement en ce qui concerne les conditions de travail, mais peut-être encore davantage quant aux avantages sociaux, dont ceux de la retraite. (...) Une municipalité, contrairement à une entreprise privée, ne peut pas faire faillite, il n'y a pas de frein véritable à la tentation de régler le présent au détriment du futur. »

Il est justement là LE problème majeur. Les syndicats ont trouvé une vache à lait qu'ils peuvent siphonner pratiquement infiniment, qui leur résiste très mal et qui n'a pas à souscrire aux règles du marché. Ils abusent donc de la générosité des gouvernements, aux frais des contribuables actuels et futurs.

Pour consolider son emprise, les syndicats s'adonnent à des campagnes de propagande en vue de soutenir une idéologie politique qui favorise leur mainmise, même si cela se fait au détriment de la collectivité.

Par exemple, les syndicats québécois nient publiquement sur toutes les tribunes les problèmes d'endettement public graves auxquels le Québec est présentement confronté. Ils sont de véritables négationnistes de l'endettement. Pour eux, l'équation est simple : moins l'emphase sera sur la dette, moins la population et ses élus se soucieront de la croissance de la taille de l'État ou des impôts trop élevés, et plus les syndicats pourront abuser de ses largesses.

En exposant leurs idéologies politiques en fait les syndicats exposent combien ils sont en conflit d'intérêts : l'intérêt à court terme des syndicats versus l'intérêt à long terme de la population.

Mon ami Pascal Tremblay, le président du Réseau Liberté-Québec dans la région du Saguenay-Lac-Saint-Jean, a bien su faire ressortir combien les syndicats se fichent complètement de l'état des finances publiques au Québec. Pascal est employé d'une commission scolaire. Lorsqu'on l'a informé que son syndicat venait de lui négocier une augmentation de salaire, il a demandé à ce que son augmentation soit retournée dans le fonds consolidé du gouvernement afin d'aider l'État québécois à atteindre plus rapidement l'équilibre budgétaire. Pascal considère, en citoyen responsable, qu'un État ultra-endetté comme le nôtre ne devrait pas avoir les moyens d'augmenter le salaire de ses employés. Non seulement son syndicat lui a interdit de renoncer à sa hausse salariale, mais il a en plus eu droit à une sérieuse remontrance de son «représentant» syndical...

Si on continue de jouer à l'autruche et de se mettre la tête dans le sable, le problème ne fera que nous frapper plus durement. Récemment, l'État du Wisconsin, dans le midwest américain, a pratiquement déclaré faillite. Un projet de loi a alors été déposé en vue de couper dans les régimes de retraite des fonctionnaires et de leur retirer le droit de négocier collectivement leurs conditions de travail, à l'exception de leurs salaires.

Malgré les manifestations monstres des syndicats, le gouverneur Scott Walker a refusé d'augmenter les taxes et les impôts de ses concitoyens ou de réduire les services publics pour payer les régimes de retraite des fonctionnaires.

Les syndicats ont alors orchestré l'une des plus importantes mobilisations des dernières décennies en vue de sortir le gouverneur de ses fonctions. Ils ont initié une pétition pour obliger un scrutin de rappel, le *recall*. Ils ont rassemblé suffisamment de signatures pour obliger la tenue d'un vote, mais les électeurs du Wisconcin ont réélu leur gouverneur Walker en juin 2012, infligeant ainsi l'une des pires défaites démocratiques de l'histoire récente aux syndicats américains.

Va-t-il falloir que les électeurs québécois se rendent eux aussi aux urnes pour mater l'appétit insatiable de nos syndicats pour les fonds publics ou aurons-nous un élu capable de se tenir debout devant ce puissant lobby?

# 8

## LE FONDS DE SOLIDARITÉ DE LA FTQ ET LE FONDACTION DE LA CSN

C'est l'ex-président de la FTQ, Louis Laberge qui, en 1982, a lancé l'idée d'un fonds d'investissement de travailleurs qui focaliserait sur la création d'emploi au Québec, lors du sommet socio-économique du gouvernement Lévesque. La récession du début des années 80 et le fort taux de chômage forcent les syndicats à concentrer leurs efforts davantage sur la création et le maintien d'emplois plutôt que sur les conditions de travail des membres.

Officiellement, le Fonds de solidarité et le Fondaction sont des entités différentes des syndicats, mais la direction provient des syndicats. Ainsi, le président de la FTQ et le président de la CSN se retrouvent présidents du conseil d'administration de leur fonds respectif.

Ils sont devenus, au fil des ans, de véritables monstres financiers.

Il est assez ironique aussi de constater que la CSN avait exprimé de fortes réserves idéologiques lors de la création du Fonds de solidarité de la FTQ au début des années 80. Quand la centrale a constaté que la FTQ empilait des centaines de millions, sentant l'argent au bout de son nez, la CSN a voulu avoir son propre fonds. Au diable, les idées marxisantes! Le capitalisme, ça doit juste être mauvais pour les autres...

De nos jours, un petit épargnant qui souhaite contribuer à son Régime enregistré d'épargne retraite (REER) peut bénéficier d'un crédit d'impôt supplémentaire équivalent à 30 % de son placement s'il choisit de cotiser au Fonds de solidarité et de 40 % s'il se tourne plutôt vers le Fondaction.

Cette faveur accordée à aucun autre fonds a permis d'accumuler, selon les états financiers de 2011, une capitalisation de 843 millions $ dans les coffres du Fondaction et de 8,2 milliards $ dans ceux du Fonds de solidarité. Plus de 9 milliards $ pour les deux fonds.

Le discours politique des grandes centrales syndicales rappelle constamment que la solution à plusieurs de nos problèmes réside dans le fait que les entreprises et les riches ne paient pas suffisamment de taxes et d'impôts. La CSN et la FTQ interviennent fréquemment auprès des gouvernements pour demander qu'ils annulent une baisse d'impôts, qu'ils créent une nouvelle taxe ou qu'ils modifient les paliers d'imposition pour faire payer davantage les mieux nantis. L'équité et la justice sociale passeraient donc par une lutte à l'évitement fiscal et aux échappatoires de toutes sortes.

Ces nobles principes semblent s'appliquer partout sauf lorsqu'il est question des crédits d'impôts dont jouissent le Fonds de solidarité de la FTQ et le Fondaction de la CSN.

S'ils veulent véritablement combattre les paradis fiscaux, pourquoi les leaders syndicaux ne commencent pas par montrer l'exemple et réclamer l'abolition des privilèges que nos gouvernements leur ont octroyés?

Les syndicats peuvent bien prétendre qu'ils ont accès à ce passe-droit parce qu'ils créent des emplois dans des entreprises de chez nous. Pourtant, il y a des centaines d'autres institutions financières qui offrent la possibilité aux petits investisseurs de faire exactement la même chose et qui ne bénéficient pas d'un traitement de faveur à hauteur de 30 ou de 40 % de l'investissement.

Si on appliquait la rhétorique syndicale à la lettre, on pourrait même ajouter que les centaines de millions de dollars consentis par nos politiciens aux grands patrons des centrales syndicales équivalent à autant de centaines de millions de dollars dont sont privés nos programmes sociaux. Ces privilèges octroyés à la FTQ et à la CSN handicapent ainsi l'État dans sa mission de livrer des services indispensables.

Chaque année, la perte pour le trésor public québécois n'est pas banale. Elle s'élève entre 300 et 400 millions $, soit l'équivalent du budget consacré aux universités québécoises. Bizarre qu'on n'ait jamais entendu la CLASSE, la FECQ ou la FEUQ réclamer l'abolition de ce crédit d'impôt pour assurer la gratuité scolaire ou un financement viable à long terme à nos universités...

L'économiste Nathalie Elgrably demandait judicieusement, dans sa chronique du *Journal de Montréal* du 10 février 2011 : « Les syndicats réclament, à juste titre, l'équité des mesures fiscales. Où est l'équité lorsqu'un contribuable qui souscrit à un REER de la FTQ ou de la CSN bénéficie d'un traitement fiscal nettement plus avantageux que s'il choisit d'investir ailleurs? » Effectivement, la question est très bonne. Pourquoi permet-on une telle concurrence déloyale aux frais des contribuables?

Et si au moins ces contribuables faisaient tous ces sacrifices pour permettre aux Québécois qui investissent dans ces fonds d'obtenir d'extraordinaires rendements et, ainsi, de faire fructifier leurs actifs en vue de la retraite. Au contraire, les petits épargnants qui contribuent au Fonds de solidarité ou au Fondaction font des bénéfices rachitiques, lorsqu'ils en font.

Louis Fortin, Yourri Chassin et Michel Kelly-Gagnon, dans une étude de l'IEDM, estiment que le Fonds de solidarité, avec son rendement moyen de 1,4 % par année depuis sa création jusqu'en 2010, aurait rapporté à un cotisant ayant investi 1000 $ à la fondation en 1984 la somme de 1436 $, 26 ans plus tard, alors que si le même petit épargnant avait mis ce même 1000 $ dans l'indice boursier de Toronto, le TSX, il aurait eu la somme de 4099 $.

Du côté du Fondaction, la situation est encore plus catastrophique. Au cours des dernières années, le rendement a été négatif pendant 7 des 10 dernières années, avec des pertes records de 14,8 %, en 2009, et de 8,75 %, en 2003.

Ces rendements minables expliquent d'ailleurs en grande partie pourquoi le gouvernement de l'Ontario a cessé, depuis 2011, d'accorder quelque crédit d'impôt supplémentaire que ce soit pour les fonds de travailleurs qui, ultimement, appauvrissent les travailleurs. Ça ne profite qu'aux syndicats qui ont déjà 9 milliards $ pour jouer dans l'économie québécoise, en plus de leur milliard de dollars en cotisations qu'ils collectent annuellement.

Ça explique aussi sans doute pourquoi un petit épargnant ne peut pratiquement pas sortir son argent de ces fonds pour investir ailleurs avant d'avoir pris sa retraite. On veut le garder captif, pour qu'il n'ait pas l'option de comparer les rendements et d'exercer ainsi une pression sur des gestionnaires médiocres. Les gens mettent leur argent là-dedans uniquement pour le crédit d'impôt et, ensuite, ils n'ont plus aucun intérêt à surveiller ce qu'on fait avec leur capital.

Il faut aussi savoir qu'en raison de la surcapitalisation de ces fonds, ils ne peuvent même plus remplir leur mission fondamentale qui est d'investir pour la création d'emplois au Québec. Une étude d'Industrie Canada nous apprenait que, depuis le début des années 90, moins de 50 % de l'argent investi par les fonds de travailleurs servait réellement en capital de risque pour favoriser la création d'emplois, tel qu'exigé par le gouvernement afin de profiter de faveurs fiscales. Les fonds bénéficieraient donc de crédits d'impôt sans remplir pleinement leur mission fondamentale. Pourquoi continuer de leur accorder cette faveur alors?

En vertu de la loi, les fonds de travailleurs doivent investir au minimum 60 % de leur actif dans des entreprises qui sont jugées, par le gouvernement, « admissibles ». Et les entreprises dites admissibles sont souvent bien loin d'être les PME québécoises qu'on devait initialement aider à démarrer. Par toutes sortes d'entourloupettes concédées par le ministère des Finances, pratiquement n'importe quoi devient « stratégique » et donc admissible.

Même des investissements dans l'immobilier à l'étranger deviennent « admissibles » s'ils peuvent avoir « un impact sur le niveau d'activité économique au Québec ».

On a élargi, au fil du temps, la définition d'entreprises « admissibles » parce qu'il y avait trop d'argent disponible sur le marché à consacrer uniquement au capital de risque des PME québécoises.

Les besoins en capital de risque pour les PME québécoises s'élèveraient à quelques dizaines de millions de dollars annuellement, alors que nos deux fonds de travailleurs reçoivent des centaines de millions à investir tous les ans.

C'est ainsi qu'un journaliste de l'Agence QMI, Andrew McIntosh, nous annonçait le 1er octobre 2010 que le Fonds de solidarité investissait 5,5 millions $ dans une compagnie québécoise, Meubles Foliot de Saint-Jérôme, afin de créer notamment 200 emplois... à Las Vegas! La compagnie pouvait ainsi éviter de payer de l'impôt corporatif, tout en permettant au Fonds de jouir d'un 30 % de crédit d'impôt du Québec.

Le 27 octobre 2011, Jean-François Cloutier, du Canal Argent, nous apprenait que le Fonds de solidarité investissait massivement dans l'industrie de la construction en Alberta, la plus déréglementée en matière de travail dans l'industrie de la construction au Canada, là où personne n'est obligé de se syndiquer pour travailler sur un chantier.

Un « fonds d'investissement Québec-Alberta Construction » a même comme commanditaire principal le Fonds de solidarité FTQ avec un investissement de 7,8 millions $.

Ce fonds soutiendrait l'industrie pétrolière et la construction immobilière, en permettant aux Québécois de travailler et de faire des affaires en Alberta. Le Fonds de solidarité a de plus investi 12 millions $ dans JV Driver, une compagnie albertaine de construction industrielle, sans oublier son appui financier à l'hôtel du groupe Germain au centre-ville de Calgary.

Preuve que les syndicats sont de grands adeptes du principe « faites ce que je dis, pas ce que je fais », le Fonds de solidarité faisait même l'éloge du climat d'affaires en Alberta, reconnaissant qu'il s'agit de « la province connaissant la plus forte croissance économique au pays depuis quelques année », notamment grâce au boom pétrolier des sables bitumineux. Ils auraient pu ajouter aussi grâce au faible taux de syndicalisation et à la liberté de s'associer des travailleurs.

Rappelons-nous aussi un autre investissement qui a fait jaser : en 2008, le fonds achète 50 % de la société en commandite Capimex. Même si ces fonds sont destinés en quasi totalité à investir dans l'immobilier en Pologne et au Brésil. Aux yeux du ministère des Finances du Québec, ils sont comptabilisés comme des investissements québécois...

Le docteur en finances Jean-Marc Suret arrivait à la conclusion, dans une note économique de l'IEDM, que les fonds de travailleurs préfèrent investir dans des grandes multinationales souvent étrangères plutôt que dans des PME québécoises en démarrage et en urgent besoin de capital de risque. C'est pratiquement devenu une passe-passe pour tenter de donner l'impression qu'on aide la petite entreprise québécoise, alors qu'on tente d'injecter un maximum de fonds dans des grosses compagnies qui offrent de bons rendements, tout en essayant de respecter la loi.

Et même quand le fonds de travailleurs rate sa cible de 60 % d'investissement dans des entreprises « admissibles », le gouvernement du Québec ferme les yeux et passe l'éponge, comme si « unions can do no wrong ».

Pour ce qui est du 40 % qui reste, on retrouve des placements assez sûrs, principalement des obligations. Comme l'a bien écrit le chroniqueur économique David Descôteaux : « Ici, on est loin des investissements créateurs d'emplois. Nous sommes le seul État qui donne des crédits d'impôt pour investir dans des obligations! »

Le Québec est aussi sûrement le seul endroit au monde qui donne des crédits d'impôt à des entreprises pour ouvrir une usine à Las Vegas, construire un hôtel à Calgary ou acheter de l'immobilier en Pologne...

Mais il faut aussi comprendre que le Fonds de solidarité a toujours eu d'excellentes entrées au gouvernement du Québec. Rappelons que Claude Blanchet, le mari de la chef actuelle du Parti québécois,

Pauline Marois, a présidé le fonds de sa création en 1983 jusqu'en 1997, soit les 14 premières années de fonctionnement. Du côté du Parti libéral du Québec, le député d'Outremont et ex-ministre des Finances, Raymond Bachand, a aussi été membre du conseil d'administration du Fonds de solidarité pendant les 17 premières années, dont les quatre dernières à titre de président-directeur général. Ça ne nuit sûrement pas aux affaires...

Rappelons aussi que les relations d'affaires du Fonds de solidarité de la FTQ avec l'homme d'affaires Tony Accurso ont fait couler énormément d'encre ces dernières années. C'est un investissement de 4 millions $ dans l'entreprise de monsieur Accurso, Hyprescon, qui permettra d'abord à cette dernière d'acquérir son compétiteur. Le Fonds investira même un autre 16 millions $ dans les Galeries Laval, une autre propriété de monsieur Accurso. Puis, en 2011, le Fonds de solidarité rachète cette même propriété pour la somme de 85 millions $, soit presque le double de la valeur de l'évaluation municipale de 44 millions $. Le siège social de la FTQ a également été construit par monsieur Accurso. Finalement, la relation entre le Fonds de solidarité et Antonio Accurso s'élève, au total, à des investissements de plus de 250 millions $. Pas pour rien que *L'Actualité* rapporte, en novembre 1996, que Tony Accurso est « le favori des favoris » du Fonds de solidarité de la FTQ et cite Accurso disant du président de la FTQ et du Fonds, Louis Laberge : « Un père pour moi. »

En fait, le Fonds de solidarité de la FTQ, tout comme certains syndicats affiliés à la centrale, serait peut-être lui aussi gangrené par la corruption. Kathleen Lévesque, dans un article paru dans *Le Devoir* en août 2012, dévoilait que la Commission Charbonneau enquête sur un système de pots-de-vin qui aurait été établi pour faciliter l'accès aux dirigeants et au capital du Fonds. Selon le quotidien, « des joueurs clés, notamment de la FTQ-Construction, auraient servi d'intermédiaires auprès d'importants entrepreneurs pour assurer que les demandes de soutien financier de ces derniers reçoivent une oreille attentive » de la part du Fonds. En contrepartie d'une commission ou d'une ristourne, ces intermédiaires auraient contribué à accélérer le processus d'analyse ou l'auraient même contourné lorsque les dossiers ne correspondaient pas aux critères d'admissibilité officiels du Fonds. Certains de ces intermédiaires seraient même liés à des éléments du crime organisé. Espérons que le rapport final de la Commission Charbonneau, attendu dans quelques mois, sera en mesure de faire la lumière sur cette affaire qui n'a rien pour rassurer les travailleurs qui ont investi leur épargne-retraite dans ce fonds.

D'autre part, les fonds servent aussi à s'activer politiquement, à des fins partisanes. Un bel exemple de l'utilisation politique du Fonds de solidarité est une lettre envoyée par un militant péquiste à la recherche de financement. Le 24 mai 1998, le président du PQ de Mégantic-Compton, Roger Garant, envoyait cette lettre à des contributeurs libéraux de sa circonscription. Il mentionnait aux hommes d'affaires que : « Votre entreprise a su profiter il y a quelques années d'une relance grâce à un investissement substantiel de la part du Fonds de solidarité de la FTQ. Avons-nous besoin de rappeler que les dirigeants du Fonds qui ont permis cet investissement ne sont pas apparentés au Parti libéral, mais qu'ils ont plutôt des affinités avec le Parti québécois. »

Enfin, on accuse souvent les deux fonds de la FTQ et de la CSN de favoriser aussi la syndicalisation des entreprises dans lesquelles ils investissent. Évidemment, la FTQ et la CSN démentent et aucun entrepreneur n'ira avouer sur la place publique qu'il est l'objet d'une campagne de syndicalisation orchestrée par un de ses « partenaires » financiers...

# LES LOIS ANTI-BRISEURS DE GRÈVE : PARALYSONS L'ÉCONOMIE!

Le gouvernement du Parti québécois amendait le Code du travail en 1977 afin d'y introduire différentes dispositions en vue d'interdire aux employeurs dont les entreprises étaient en conflit de travail (grève ou lock-out) de remplacer, sur le lieu de travail, ses employés. Officiellement et en théorie, une telle mesure visait avant tout à prévenir la violence pendant les conflits de travail.

Le projet de loi était d'ailleurs déposé seulement quelques jours après que des agents de sécurité aient tiré sur des grévistes à l'usine de Robin Hood Flour Mills, dans le quartier Saint-Henri à Montréal, et fait au moins neuf blessés parmi les manifestants.

Quand des hommes au service d'une entreprise ou des travailleurs en grève commettent des actes criminels sur une ligne de piquetage pendant que les travailleurs de remplacement se présentent au boulot, pourquoi sommes-nous obligés d'adopter une nouvelle loi plutôt que de faire respecter le Code criminel dont nous disposons déjà en vue d'empêcher, justement, de tels débordements de violence?

On attend encore une réponse à cette question pourtant très simple. Ça me fait penser à la loi 78, adoptée au printemps 2012, pour prétendument contrer la violence lors des manifestations étudiantes quotidiennes à Montréal, alors qu'on ne faisait même pas respecter les lois déjà existantes pour empêcher les vandales de sévir.

Selon ses promoteurs, une loi anti-briseurs de grève allait aussi réduire la fréquence et la durée des conflits entre syndicats et employeurs. Ce ne fut pas le cas, mais j'y reviendrai plus loin.

Pour le moment, retenons que, depuis l'adoption de l'amendement prévoyant l'interdiction des travailleurs de remplacement, notre Code du travail prévoit, aux articles 109.1 à 109.3, qu'un employeur visé par une grève ne peut embaucher des employés, sur le lieu de travail, pour remplacer ceux en grève pendant toute la durée du conflit. Seuls des cadres de l'entreprise ont le droit de remplir ces fonctions, s'ils ont été embauchés avant le début des négociations collectives. La législation québécoise précise même quel type d'employés ne peut pas remplir les tâches des grévistes (toute personne embauchée après le début du conflit, les autres employés de l'entreprise non touchés par la grève, les grévistes ou les employés d'une autre entreprise).

Il faudra attendre 16 années avant qu'une seule autre juridiction parmi les 60 États américains et provinces canadiennes, la Colombie-Britannique pour ne pas la nommer, adopte une telle loi. Toutes les 58 autres législations garantissent la liberté totale à l'employeur d'embaucher du personnel de remplacement. Au pire, des dispositions légales obligent la réintégration des grévistes une fois le conflit terminé, comme c'est le cas, notamment, dans le Code du travail canadien.

L'Ontario socialiste des néo-démocrates de Bob Rae introduisit un projet de loi fort similaire à celui du Québec en 1992, mais les conservateurs de Mike Harris se sont rapidement chargés d'amputer sérieusement cette législation dès leur arrivée au pouvoir pour ne conserver que l'interdiction des briseurs de grèves professionnels.

Ce qu'on appelle communément et péjorativement la loi anti-scabs démontre probablement mieux que toutes les autres pièces législatives le déséquilibre flagrant des lois québécoises du travail en faveur des syndicats, et au détriment des employeurs.

En situation de grève ou de lock-out, normalement, l'employeur et les employés devraient subir des pressions économiques pour signer une entente au plus vite. Tous doivent avoir un incitatif à régler au plus sacrant. Ce n'est pourtant plus le cas.

D'ailleurs, comment expliquer que notre gouvernement légifère pour empêcher, lors d'un conflit de travail, un employeur de maintenir ses revenus, alors qu'aucune disposition n'est prévue pour nuire aux revenus des employés, que ce soit le fonds de grève, des revenus gagnés dans un autre emploi pendant cette période ou, pire encore, lorsque les employés concurrencent directement leur employeur? Pourquoi un déséquilibre aussi flagrant? Encore pire : notre gouvernement n'impose même pas les fonds de grève, ce qui revient à financer les employés en conflit de travail.

De l'autre côté, les dispositions anti-briseurs de grève empêchent pratiquement complètement l'employeur de poursuivre sa production et l'obligent trop souvent à concéder des conditions aux syndicats qui minent sa viabilité à long terme. On veut régler rapidement sans nécessairement s'assurer de maintenir son niveau de productivité. Les entreprises québécoises s'en trouvent donc fragilisées.

Évidemment, dans le cas de multinationales, il est beaucoup plus facile pour l'employeur de transférer sa production dans une autre usine où ces mesures législatives ne s'appliquent pas. Pour une PME québécoise, cette option n'existe souvent pas et les conséquences deviennent encore plus désastreuses.

Comme le constataient judicieusement l'avocat Guy Lemay et l'économiste Norma Kozhaya dans une note sur les effets pervers des dispositions anti-briseurs de grève, l'impact réel de ce parti pris prosyndical de nos gouvernants force malheureusement de nombreux entrepreneurs à réduire au maximum le nombre d'employés au Québec, à recourir autant que possible à la sous-traitance et à augmenter la capacité de production à l'extérieur de la province plutôt que d'agrandir ou d'embaucher ici. «Dans tous les cas, il s'ensuit une réduction de l'emploi et de l'investissement. (...) Pour le Québec, qui a une population de 6,2 millions de personnes en âge de travailler, cette diminution équivaudrait à 30 000 emplois.»

Autrement dit, cette simple mesure prive notre économie de 30 000 jobs pour faire plaisir aux syndicats, mais certainement pas aux 30 000 Québécois condamnés au chômage, à l'aide sociale ou à l'exil.

Quant à l'impact sur l'investissement, ça peut signifier une baisse de 25 % de l'investissement privé dans une province qui adopte une loi anti-scabs, comparativement à une province qui n'adopte pas une telle mesure.

À très court terme, la pression énorme exercée par les syndicats sur les employeurs otages de loi anti-briseurs de grève peut effectivement obliger ceux-ci à concéder des salaires supérieurs, mais comme on l'a précédemment expliqué, à terme, quand la main-d'œuvre devient trop coûteuse, on la réduit ou on s'en va ailleurs. Avec moins d'emplois et moins d'investissements, les employeurs et les employés finissent tous par perdre à la longue.

Un sondage du Conseil du patronat confirme que la population québécoise se rend de plus en plus compte que la loi anti-scabs décourage les entreprises à venir s'établir ici. Pratiquement un répondant sur deux au sondage, soit 49 %, considère que ces dispositions découragent certaines entreprises à s'implanter au Québec. Si le gouvernement allait dans le sens demandé présentement par les syndicats, soit un renforcement de cette loi pour contraindre encore davantage les employeurs, 46 % des Québécois croient que ça inciterait carrément des entreprises à quitter le Québec. Finalement, un nombre considérable de personnes sondées (36 %) souhaite purement et simplement l'abolition de cette loi anti-scabs.

Et si – en dépit de ses effets pervers sur l'économie et de la perception des Québécois – la loi anti-briseurs de grève permettait d'atteindre l'objectif de réduire la fréquence des conflits de travail? Ce n'est hélas pas le cas!

Il est vrai que le nombre de conflits de travail a grandement diminué au Québec au cours des dernières décennies. Pour donner un ordre de grandeur, et selon les données de *Perspectives chronologiques sur les arrêts de travail au Canada,* on enregistrait 312 nouveaux conflits de travail en 1976, contre seulement 31 en 2009. Le nombre total de conflits en cours est également passé de 357, en 1976, à 53, en 2009.

Mais il serait erroné de penser que cette réduction du nombre de conflits est due aux lois du travail en vigueur au Québec et en particulier à l'interdiction des travailleurs de remplacement. Le Québec ne fait que suivre une tendance lourde à savoir que peu importe la juridiction, les conflits de travail (grèves et lock-out) ont diminué de façon remarquable au Canada depuis les 30 dernières années. Ainsi, selon une étude de Statistique Canada parue en 2006, «le Canada est passé d'une moyenne annuelle de 754 conflits dans les années 1980, à 394 dans les années 1990 et 319 dans les années 2000». Bref, le nombre de conflits a diminué partout au Canada, indépendamment des lois anti-briseurs de grève.

En fait, des chercheurs ont même prouvé que les lois anti-briseurs de grève augmentent la probabilité des grèves plutôt que de la réduire! Dans une étude publiée en 1999 dans le *Labor Law Journal*, P. Cramton, M. Gunderson et J. Tracy ont montré – sur la base d'un échantillon de 4340 contrats négociés dans des entreprises de 500 travailleurs ou plus du secteur privé au Canada entre janvier 1967 et mars 1993 (soit plus de 25 ans) – que la probabilité de grève est de 12 % plus élevée dans les juridictions où il y a des dispositions interdisant les travailleurs de remplacement. Il va sans dire que l'expérience du Québec influence fortement ces résultats.

La même étude a aussi établi que la durée moyenne d'une grève est de 86 jours en présence de dispositions anti-briseurs de grève et de 54 jours en l'absence de telles dispositions. Contrairement à ce que les défenseurs de la loi prétendent, cette législation est donc associée à une augmentation de la durée des grèves, soit de 32 jours de plus en moyenne, selon ces chercheurs.

Je pourrais vous citer de nombreuses autres études parues au fil des ans dans des publications neutres et respectées (*Industrial Relations, Journal of Labour Economics, Canadian Journal of Economics*, etc.) et qui arrivent à des conclusions similaires.

Bref, que ce soit du côté des économistes, de l'opinion publique ou des experts en relations industrielles, la cause de la loi anti-briseur de grève est entendue et il faut maintenant espérer qu'un gouvernement ait le courage de prendre le taureau par les cornes et abolisse cette loi inutile et nuisible.

# 10
## CONFLITS CONTEMPORAINS AU QUÉBEC ENTRE SYNDICATS ET PATRONS

Les nouveaux emplois ne se créent plus dans les secteurs fortement syndiqués, tels que la fonction publique et les industries manufacturières. C'est dorénavant dans le secteur des services privés que les nouvelles opportunités se pointent.

Voyant où se déplacent les nouvelles talles de travailleurs, les syndicats tentent de suivre pour préserver leurs cotisations.

Dans l'actualité, on peut voir périodiquement la bataille que mène ces dernières années la CSN pour s'implanter dans le secteur privé maintenant qu'elle constate que la création d'emploi stagne dans ses bassins traditionnels.

Pour aller développer de nouvelles talles où siphonner de nouvelles cotisations, elle a choisi de s'attaquer, notamment, à deux empires dirigés par des entrepreneurs québécois qui ont extraordinairement bien réussi et qui rayonnent bien au-delà de nos frontières.

## Premier cas : les dépanneurs Couche-Tard

Voici le texte d'une publicité dans un journal étudiant et sur le site de la FEUQ : « Tu travailles dans un Couche-Tard? Se syndiquer pour se faire respecter. » Voilà où en est rendue la CSN. Utiliser les associations étudiantes pour obtenir des cotisations. Quel message subliminal tente d'envoyer la centrale? Qu'il vaut mieux lâcher ses études pour aspirer à un job syndiqué comme caissier dans un dépanneur?

La majorité des gens qui travaillent dans un dépanneur sont justement des étudiants qui le font à temps partiel. On ajuste les horaires en fonction des cours de chacun. La flexibilité des employés et de l'employeur est mise à contribution.

Selon le président de Couche-Tard, Alain Bouchard, la CSN ne comprend pas le modèle d'affaires d'un dépanneur. Son entreprise ne fonctionne pas comme la fonction publique ni même comme une manufacture, loin de là. Chaque Couche-Tard ne rapporte pas tant, c'est le volume de Couche-Tard qui fait sa force et son revenu. La présence syndicale ne ferait qu'alourdir le fonctionnement du modèle Couche-Tard et réduirait sa compétitivité.

Les syndicats se basent sur le modèle scandinave pour essayer de faire passer leur idéologie ou leur soif de cotisations, mais ils ne considèrent pas la réalité québécoise. En Scandinavie, il y a une forte présence syndicale dans ce milieu, mais chaque concurrent est alourdi de la même charge, c'est donc une bataille plus équilibrée. La réalité, de notre côté de l'Atlantique, est toute autre.

D'ailleurs, alors qu'il déposait une offre en vue d'acheter les 2305 dépanneurs du groupe norvégien Statoil Fuel & Retail en mai 2012, Alain Bouchard expliquait bien la différence entre la réalité du marché nord-américain et celle du marché européen. En Norvège, dès qu'une entreprise a plus de 50 employés, un représentant des travailleurs siège au comité de direction. Lorsque l'entreprise devient publique, deux représentants syndicaux accèdent automatiquement au conseil d'administration. Les règles du jeu sont les mêmes pour tous les concurrents.

Ici, aucun autre dépanneur n'est syndiqué dans cette industrie. Pourquoi alors s'attaquer à Couche-Tard, réduire sa productivité et sa valeur, affaiblir notre fleuron pour donner un avantage aux concurrents présents chez nous?

Couche-Tard demeure l'un des plus beaux fleurons de l'entrepreneurship québécois. L'entreprise enregistre aujourd'hui un chiffre d'affaires annuel de 15,8 milliards $ et compte 5800 succursales dans le monde, dont 550 au Québec.

À force de génie et de milliers d'heures de travail investies dans un petit dépanneur du nord de la métropole, Bouchard a construit la deuxième plus importante chaîne de dépanneurs au monde, tout juste derrière 7-Eleven, et en fait bénéficier aujourd'hui des milliers de Québécois. Contrairement à tous les syndicalistes qui l'affrontent, il crée ici véritablement de la richesse. Il devrait être encouragé et servir de modèle. Mais pas dans le Québec des Gérald Larose, Claudette Carbonneau, Louis Roy ou Jacques Létourneau.

Les propriétaires de dépanneurs en arrachent ces jours-ci. La contrebande de cigarettes, les commissions élevées exigées aux marchands par les émetteurs de cartes de crédit et la hausse des prix de l'essence ont un effet dévastateur sur leurs revenus. Plus de 2300 dépanneurs fermaient leurs portes en 2009-2010 au Canada, principalement au Québec et en Ontario.

Syndiquer des employés du secteur public est une chose. Syndiquer des employés de dépanneurs en est une autre. Les premiers n'ont pas à offrir des services 24 heures par jour, sept jours par semaine, avec des petites équipes de 10-15 employés, dans un milieu hyperconcurrentiel, pour une maigre marge bénéficiaire de 1 à 2 %.

On ne syndique pas les dépanneurs ailleurs sur le continent pour plusieurs bonnes raisons. Ici, l'absence de démocratie syndicale dans les lois du travail permettra cependant de syndiquer un dépanneur sans même un vote des employés et sans possibilité pour l'employeur d'expliquer pourquoi ce serait une idée dévastatrice pour l'entreprise. La gloutonnerie des grandes centrales syndicales qui profitent de lois québécoises complaisantes transforme ces organisations en parasites géants cherchant à étendre leurs tentacules dans les moindres petits secteurs d'activité économique.

L'impact direct de cet activisme conduit indéniablement à un lent et progressif déclin parce que nous devenons collectivement une société avec une organisation du travail moins souple, plus coûteuse et donc forcément moins concurrentielle. Mais il y a longtemps que le bien-être général du Québec et la modernisation des relations de travail ne figurent plus dans les priorités d'une CSN trop occupée à s'accaparer de nouvelles sources de revenus en cotisations syndicales.

Si elle réussit dans sa croisade contre les dépanneurs, l'impact de son acharnement est déjà bien documenté : encore plus de dépanneurs fermeront, des milliers d'emplois disparaîtront et les prix aux consommateurs augmenteront. Bienvenue au dépanneur CSN!

## Deuxième cas : Québecor et *Le Journal de Montréal*

En parallèle, la CSN menait pratiquement la même bataille idéologique contre un autre géant on ne peut plus québécois, Québecor. Les journaux papiers sont en déclin pratiquement partout sur le globe. La chute des revenus est impressionnante. Le quotidien numéro un au Québec, *Le Journal de Montréal*, ne pouvait rester passif à observer ses sources de revenus se tarir et ses dépenses augmenter jusqu'au jour où il aurait été contraint de faire comme tant d'autres journaux le font pratiquement tous les jours ailleurs sur le continent : mettre la clef dans la porte.

Historiquement, ce média écrit profita largement de la présence syndicale. C'est un conflit de travail chez un concurrent qui l'a en fait mis au monde. Le fondateur Pierre Péladeau se montra particulièrement reconnaissant et généreux lorsqu'est venu le temps de négocier des conventions collectives.

Quand son successeur de fils, Pierre Karl Péladeau, est arrivé quelques décennies plus tard pour renégocier ces mêmes conditions de travail, la réalité économique avait considérablement changé. L'heure n'était plus à la surenchère avec la compétition, mais bien plutôt à la rationalisation. Le concurrent n'était même plus *La Presse* ou *Le Devoir*, mais bien plutôt les dizaines de milliers de blogues et les millions de pages Facebook ou comptes Twitter.

Chaque internaute est pratiquement devenu un journaliste-citoyen et photographe-citoyen, avec son ordinateur portatif ou son simple cellulaire à la main, capable de rapporter instantanément de l'information de n'importe quel coin du Québec. La concurrence travaille désormais bénévolement et se compte par millions.

Que les propriétaires de journaux ou les journalistes le veuillent ou non, il faut maintenant faire autrement, développer de nouveaux créneaux, offrir une valeur ajoutée.

C'est avec cette préoccupation en tête, afin de sauver le quotidien francophone qui a le tirage le plus élevé en Amérique du Nord, que PKP s'est présenté à la table de négociation face à une CSN qui l'attendait de pied ferme et voulait, au contraire, s'en servir comme modèle.

Dans de telles circonstances, l'homme à la barre du paquebot Québecor, que certains tentaient de faire dériver vers de dangereux récifs, a pris les choses en main, décrété un lock-out et assuré la viabilité à long terme de son entreprise.

En novembre 2010, je commentais le congrès de la Fédération professionnelle des journalistes du Québec (FPJQ). La FPJQ n'est pas un syndicat, mais agit comme tel et semble rêver de le devenir.

J'écrivais : « Les bébés gâtés de la presse se sont aussi défoulés samedi contre Québecor. Un journaliste de *La Presse*, André Noël, proposa même d'obliger Québecor à se départir du *Journal de Montréal*. Tant qu'à y être, on pourrait aussi changer le nom pour l'appeler la Pravda! Curieux de voir autant d'agitation de la part de journalistes qui n'ont pas levé le petit doigt pour aider deux des leurs à qui on refuse l'accréditation à la Tribune de la presse à Québec. C'est une organisation internationale, Reporters sans frontières, qui fut obligée de décrier l'été dernier cette attaque contre la liberté de presse. Bizarre aussi que nos amis journalistes s'inquiètent de la concentration des médias lorsqu'il est question de Québecor, mais oublient de parler de l'entente secrète entre Radio-Canada et Gesca qui " contrôlent " encore plus de médias...

Mais la plus grande démonstration de partialité est venue avec la distribution du prix de la noirceur 2010 remis au premier ministre Stephen Harper, notamment en raison du traitement des demandes d'accès à l'information. La FPJQ voit la paille dans l'œil du politicien, mais ne semble pas voir la poutre dans celui de la Société Radio-Canada qui refuse de se soumettre à la Loi d'accès à l'information, elle qui a été déboutée en Cour fédérale et qui porte aujourd'hui sa cause en appel.

L'attitude de la FPJQ témoigne, une fois de plus, que le monde de l'information se transforme à la vitesse grand V. L'Internet, les blogues, Twitter, Facebook et les chaînes de nouvelles continues révolutionnent complètement l'industrie. Une clique de gauchistes grassement payée pour écrire (en moyenne) 300 mots par jour à se complaire dans sa pensée unique ne peut plus survivre dans ce nouvel univers concurrentiel.»

Inutile de vous expliquer pourquoi, depuis la publication de cette chronique, certains de mes «collègues» ne me portent pas en haute estime... Des fois, ça fait du bien de se faire dire ses quatre vérités. Ils peuvent tirer sur le messager tant qu'ils veulent, mais ils sont toujours, à ce jour, incapables de contredire le message.

Elle est terminée l'époque où un scribe pouvait gagner un salaire dans les six chiffres à gribouiller 300 mots par jour. Qu'est-ce que vous voulez que je vous dise? Plus personne n'a les moyens de payer ça de nos jours. C'est pas la faute à Péladeau, à Desmarais, à Murdoch ou à n'importe quel autre propriétaire d'un organe de presse, n'en déplaise aux syndicats.

Le monde a changé. Les syndicats me font souvent penser, lors de ces débats, au personnage de Ti-Loup dans la fameuse chanson de Claude Dubois : «T'as pas changé Ti-Loup... Y'a que le monde de changé...»

Dans les deux récents conflits de travail les plus médiatisés, ni les employeurs ni leurs employés ne sont sortis gagnants. Tous ont perdu des revenus ou même leurs emplois. Mais celui qui en ressortira le plus amoché à long terme est, certes, le syndicalisme abusif qui fait abstraction de la réalité économique et de l'environnement concurrentiel.

Même de nombreux employés syndiqués, souvent parmi les plus militants, des deux entreprises visées avouent aujourd'hui vivre une grande désillusion face au syndicalisme.

Les conventions collectives ont beau être en béton, l'employeur aura toujours la liberté de décréter un lock-out ou de fermer ses portes. Aucun syndicat, nulle part sur la planète, n'est capable d'empêcher ça.

En s'attaquant à des empires comme Couche-Tard ou Québecor, les syndicats ne font en fait qu'accélérer le déclin de l'empire québécois, si empire il y a...

# 11

## CONSTRUCTION ET SYNDICATS : UN VASTE CHANTIER...

S'il y a une industrie qui symbolise bien tout ce qui ne tourne pas rond avec les syndicats au Québec, c'est bien celle de l'industrie de la construction. La corruption et la collusion semblent y être bien incrustées et le rôle joué par les syndicats n'y est peut-être pas étranger.

Le plus étonnant et décourageant, c'est que ça ne date pas d'hier.

Le 21 mars 1974, des fiers-à-bras de la FTQ-Construction commettaient de graves actes de violence sur le chantier de LG-2 à la Baie-James. Ce saccage, qui occasionnera une perte de plus de 33 millions $, une fortune à l'époque, conduira à d'importantes modifications des pratiques syndicales dans le milieu de la construction. La Commission d'enquête sur l'exercice de la liberté syndicale dans l'industrie de la construction est alors instituée, mieux connue sous le nom de la Commission Cliche, du nom de l'ex-juge Robert Cliche qui la présida. Des liens douteux entre les dirigeants syndicaux et le crime organisé sont alors révélés. Quatre syndicats affiliés à la FTQ sont reconnus coupables d'actes criminels et placés sous tutelle. André « Dédé » Desjardins, directeur général de la FTQ-Construction, fut forcé de démissionner. Il sera d'ailleurs abattu, en avril 2000, dans un stationnement à Saint-Léonard, après avoir rencontré la veille Maurice « Mom » Boucher et d'autres de ses « amis » motards...

Il semble bien que les syndicalistes ont depuis changé, mais le même système est néanmoins demeuré. Dédé est peut-être mort dans un règlement de compte, mais son esprit semble toujours bien vivant.

Trente-cinq ans plus tard, en 2009, un nouveau scandale vient frapper la FTQ-Construction. Les dépenses gargantuesques de 125 000 $ en six mois de son directeur général, Jocelyn Dupuis, et les liens de ce dernier avec des membres du monde interlope font la manchette. Périodiquement, au cours des quatre dernières années, on apprend aussi l'implication des syndicats ou du Fonds de solidarité de la FTQ avec des entrepreneurs au cœur du scandale sur la collusion et la corruption dans l'industrie de la construction. La similitude entre les deux scandales, à 35 ans d'intervalle, saute aux yeux, à commencer par les enquêtes de la Sûreté du Québec et les liens entre le syndicat et le crime organisé.

Puis, à l'automne 2011, le Québec au grand complet est témoin, dans pratiquement toutes les régions, des actes d'intimidation et de violence de la part de syndicalistes barbares de la FTQ-Construction et de l'International qui vident les chantiers, pendant que les leaders syndicaux nous prennent collectivement pour des imbéciles en déclarant qu'ils n'y sont pour rien et qu'il s'agit d'actes spontanés.

Force est de constater que si la Commission Cliche a modifié le paysage syndical québécois, elle n'a clairement pas apporté transparence et démocratie à la FTQ-Construction ni dans les autres syndicats de l'industrie, encore moins donné la liberté aux travailleurs de ne pas adhérer à un syndicat.

Ces dernières années, plusieurs travailleurs de la construction au Québec ont été stupéfaits d'apprendre ce que leurs dirigeants syndicaux font de leurs cotisations. S'ils en avaient le choix, plusieurs d'entre eux choisiraient sans doute de se désaffilier. Or, au Québec, on ne peut travailler dans l'industrie de la construction sans être syndiqué. Les syndicats ont ainsi le monopole sur le marché des travailleurs de l'industrie.

Le gouvernement du Québec encadre et légifère les relations de travail, tout en octroyant des avantages particuliers aux grandes organisations syndicales. Il ne peut rester les bras croisés devant l'intimidation, la violence et la fraude qui caractérisent toujours les plus gros syndicats québécois de l'industrie. Les récents scandales mettent en lumière les failles du modèle syndical québécois et nous obligent collectivement à remettre en question sa raison d'être.

Le temps est venu de se soucier du bien-être des travailleurs plutôt que de celui des dirigeants syndicaux. Le gouvernement doit avoir le courage de redonner aux travailleurs de la construction leur liberté d'association, comme le garantit l'article 2d de la Constitution canadienne, et d'obliger les syndicats à une plus grande transparence financière. Le temps n'est plus uniquement aux commissions d'enquête, Cliche hier ou Charbonneau aujourd'hui. L'heure est à l'action de la part du gouvernement québécois qui encadre l'ensemble de ces pratiques.

L'industrie de la construction au Québec est, et de loin, la plus réglementée en Amérique du Nord. L'ensemble des activités de ce secteur est régi depuis 1968 par la Loi sur les relations du travail, la formation professionnelle et la gestion de la main-d'œuvre dans l'industrie de la construction, mieux connue sous le nom de la loi R-20.

Le gouvernement oblige tous les employeurs à n'embaucher que des travailleurs membres de l'un des cinq syndicats officiellement reconnus, sous peines d'amendes ou d'emprisonnement. Ces cinq syndicats sont : la CSD, la CSN, CPQMC, la FTQ et le SQC.

C'est la Commission de la construction du Québec (CCQ), un organisme parapublic, qui est chargé d'appliquer la loi R-20. La CCQ est financée à 42,7 % par les travailleurs, à 49,7 % par les employeurs et à 7,5 % par le gouvernement.

Pour veiller à l'application de la loi R-20, la CCQ embauche des inspecteurs qui visitent les chantiers de construction dans toutes les régions du Québec, afin notamment de s'assurer que les travailleurs possèdent leurs certificats de compétence émis par la CCQ et qu'ils sont donc, par ce fait même, syndiqués.

Seule la rénovation résidentielle échappe, en partie, à l'emprise de la loi R-20 et ne doit donc pas obligatoirement être effectuée par des travailleurs syndiqués. Contrairement à partout ailleurs sur le continent, tous les travaux des autres secteurs – soit le résidentiel neuf, l'institutionnel et le commercial, le génie civil et voirie et l'industriel – doivent être effectués exclusivement par des syndiqués et encadrés par la loi R-20.

Toutes les conventions collectives de l'industrie sont négociées de manière centralisée, par les parties patronale et syndicale, et s'appliquent invariablement à tous.

En vertu de la loi R-20, il existe 26 métiers réglementés dans l'industrie de la construction au Québec. Chacun d'eux est clairement défini dans la loi et chaque employeur ne peut embaucher que des travailleurs syndiqués qui détiennent une carte de compétence du métier pour lequel un travail doit être effectué. La loi va même jusqu'à compartimenter le territoire québécois en 15 régions et il devient très complexe, pour un syndiqué, d'aller travailler dans une autre région.

Il serait pourtant tellement simple de regrouper certains métiers. On pourrait, par exemple, prendre trois métiers du fer, soit ferrailleur, chaudronnier et monteur d'acier de structure, pour n'en faire qu'un seul et même métier. Vous viendriez de simplifier la vie de bien des gens et de réduire considérablement les coûts pour plusieurs. Au lieu d'en payer trois, vous en payez un et n'attendez pas après les deux autres.

À titre de comparaison, l'Ontario ne compte que six métiers à certification obligatoire et le travailleur ontarien peut travailler n'importe où dans la province. Donc, aucun cloisonnement à la québécoise et les travailleurs ontariens sur les chantiers ont la liberté de se syndiquer ou non.

Selon le chroniqueur économique David Descôteaux, « ce cloisonnement des métiers au Québec mène à un système coûteux, qui engendre une division du travail rigide en corps de métiers, des règles d'embauche lourdes et des mécanismes de fonctionnement peu flexibles. Il empêche toute polyvalence recherchée par les entrepreneurs généraux et les donneurs d'ouvrage pour revoir les façons de faire et améliorer la productivité sur les chantiers. »

Cette surréglementation des métiers conduit à des situations loufoques où il faut multiplier le nombre d'employés ou de sous-traitants pour de simples petits travaux, complexifiant ainsi les différentes étapes de travail et occasionnant des coûts additionnels et des pertes de temps.

Un exemple souvent invoqué est celui des échafaudages inutilement montés et démontés par chacun des corps de métier afin de donner plus d'heures de travail à ceux qui réalisent de petits travaux. Les syndicats veulent, entre autres choses, s'assurer que chaque travailleur atteigne son minimum d'heures pour avoir droit à son assurance-chômage.

L'impact non désiré consiste aussi à déresponsabiliser le travailleur puisque plusieurs autres corps de métiers doivent artificiellement passer avant ou après lui. Le travail final n'est l'œuvre de personne et s'il y a un problème, tout le monde pointe l'autre du doigt.

Dans certaines régions ou certains secteurs, en cloisonnant ainsi les métiers, on se ramasse avec bien peu de concurrents pour un type de travail particulier, ce qui fait monter encore davantage les prix.

L'économiste Pierre Fortin, qu'on ne peut, certes, pas taxer d'être un homme de droite, a mesuré l'impact de la loi R-20 sur le coût total de la construction au Québec et il arrive au chiffre de 10,5 %. C'est-à-dire que la rigidité de notre modèle coûte 10,5 % de plus, soit l'équivalent d'une perte de 3,4 milliards $ annuellement et de 52 000 emplois.

Tous paient pour cette perte astronomique de 3,4 milliards $, en premier lieu les contribuables puisque la majorité des chantiers à l'extérieur du secteur résidentiel est composée de travaux d'infrastructures. Les travailleurs de la construction en sont aussi victimes parce qu'ils sont condamnés à travailler moins longtemps. Tandis que le Québécois moyen travaillait 1625 heures en 2011, celui sur la construction n'en travaillait que 950.

On ne peut pas accuser nos gars sur les chantiers d'être plus paresseux que le reste de la population. Au contraire, leur cœur à l'ouvrage est reconnu jusque sur les grands chantiers albertains où la réputation des gars de chez-nous fait d'eux du personnel recherché. S'ils sont forcés de travailler moins que les autres, c'est simplement par manque de travail pour ceux qui se retrouvent dans des métiers trop spécialisés et que l'offre de travail est réduite en raison des coûts artificiellement trop élevés.

S'ajoute à ça, évidemment, le travail au noir. Quand on ne peut pas, en vertu d'une loi, remplir certaines tâches, on le fait parfois illégalement, en cachette. Ainsi, le cloisonnement des métiers favorise malheureusement ce travail au noir. Le ministère des Finances du Québec estime que le travail au noir dans l'industrie de la construction équivaut à 900 millions $ en perte annuelle pour le fisc.

Il y a tout un ménage à faire sur nos chantiers québécois. Deux attitudes prévalent présentement sur la voie à suivre pour l'avenir.

## D'un Jocelyn à l'autre

Pour bien comprendre les débats qui ont actuellement cours à l'intérieur de l'industrie de la construction au Québec, j'aimerais vous présenter deux protagonistes qui ont défrayé la manchette et qui représentent bien les deux côtés de la médaille.

D'abord, laissez-moi vous présenter, dans le coin droit, Jocelyn Dumais.

Contracteur de la région de l'Outaouais, monsieur Dumais se bat depuis plusieurs années pour les droits des travailleurs de la construction au Québec contre le puissant lobby syndical. Il en avait assez de voir des travailleurs compétents être empêchés de gagner leur vie sur les chantiers québécois. Des pères de famille qui ont payé de fortes amendes et même été emprisonnés pour avoir commis l'odieux crime de travailler sans avoir été membres d'un des cinq syndicats autorisés. Monsieur Dumais sera même mis à l'amende pour un montant de 35 985 $, en 1991, pour avoir embauché des travailleurs non syndiqués.

Il a fondé l'Association pour le droit au travail et s'est par la suite rendu jusqu'en Cour suprême pour dénoncer l'abus dont sont victimes ces gars sur nos chantiers. Il n'a pas gagné sa cause, mais franchement, c'est le Québec tout entier qui a perdu dans cette décision rendue contre lui.

En 2001, la Cour suprême du Canada rendait en effet une décision équivoque sur l'obligation qu'ont les travailleurs québécois de la construction d'être membres d'un des cinq syndicats reconnus pour obtenir leurs certificats de compétence et avoir le droit de travailler sur un chantier. Huit juges sur neuf ont avoué que l'article 2d de la Charte canadienne des droits et libertés, qui reconnaît comme une liberté fondamentale la liberté d'association, comprend implicitement le droit de ne pas s'associer. Contrairement, par exemple, à la Déclaration universelle des droits de l'homme qui précise explicitement que « nul ne peut être obligé de faire partie d'une association ». Cinq juges contre quatre sont allés plus loin et ont admis que l'adhésion obligatoire telle que prévue par l'industrie de la construction québécoise contrevient donc à l'article 2d. Néanmoins, à cinq contre quatre, les juges décidèrent que cette importante violation se justifiait et ont refusé d'invalider la loi.

Personne, selon moi, ne représente mieux que Jocelyn Dumais l'agent de changement dans cette industrie.

Maintenant, laissez-moi vous présenter, dans le coin gauche, un Jocelyn qui a aussi fait beaucoup parler de lui ces dernières années et que vous connaissez peut-être déjà : Jocelyn Dupuis.

Monsieur Dupuis a été directeur général de la FTQ-Construction pendant 11 ans et a été contraint de démissionner en septembre 2008.

Il fait présentement face à la justice pour des chefs d'accusations pour fraude, fabrication de faux documents et incitation à commettre une infraction.

« On lui reproche entre autres d'avoir soumis 208 faux rapports de dépenses hebdomadaires et reçus de restauration, à la FTQ, afin d'obtenir des remboursements. On l'accuse également d'avoir conseillé à Eddy Brandone, secrétaire-trésorier de la FTQ, de faire une fausse facture de 11 300 $ pour que la FTQ défraie l'installation de portes et fenêtres chez le nouveau président de la FTQ, Yves Mercure », rappelle *La Presse* du 7 mars 2011.

L'enquête préliminaire a été faite, mais la preuve dévoilée au cours de la brève enquête préliminaire est frappée d'un interdit de publication.

Radio-Canada rapportait, en mars 2009, que : « Selon 34  rapports de dépenses et 109  factures, Jocelyn Dupuis a réclamé 125 000 $ en frais de restaurant sur une période de six mois, soit une moyenne de 4753 $ par semaine. Certaines factures font état de soirées bien arrosées, comme une réclamation à La Mise au Jeu du Centre Bell pour 1078 $, dont 630 $ seulement en alcool. Au chic restaurant Cavalli, situé sur le boulevard René-Lévesque à Montréal, la FTQ-Construction a dépensé 24 294 $ en deux mois. Certaines factures sont détaillées, mais la plupart des documents sont des reçus remplis à la main, provenant souvent des mêmes restaurants. Une experte judiciaire en écriture et documents, Yolande Gervais, avait conclu que des reçus du Resto-Pub Ste-Thérèse pour des repas dont le coût variait de 200 $ à 2000 $ avaient en fait été signés par M. Dupuis lui-même, qui utilisait le prénom de Claudette. Sur quatre de ces factures figurait le nom de Raynald Desjardins, condamné par le passé à 15 ans de prison pour trafic de drogue. M. Desjardins a déjà été un des hommes forts du clan mafieux des Rizzuto et a aussi été proche de l'ex-chef des Hell's Angels, Maurice "Mom" Boucher.»

Malgré le fait que son départ soit survenu dans la controverse, monsieur Dupuis a empoché une généreuse prime de départ de 140 000 $, payée par les honnêtes travailleurs de la construction, via leurs cotisations syndicales.

En septembre 2009, Radio-Canada révélait également que : « Après son départ, l'ex-directeur général de la FTQ-Construction a fait appel à un de ses nombreux contacts avec des membres du crime organisé, le Hell's Angels Jacques Israël Émond, pour convaincre un candidat à sa succession de retirer sa candidature et de voter pour le candidat de Jocelyn Dupuis, Richard Goyette. Le candidat en question, Dominic Bérubé, a effectivement retiré sa candidature et M. Goyette a été élu par deux voix de majorité. » Il faut dire que monsieur Bérubé était loin d'être blanc comme neige, ayant été condamné en 2003 pour production de drogue après la découverte de 530 plants de marijuana dans un entrepôt de Rivière-des-Prairies.

Quoi qu'il en soit, monsieur Dupuis a peut-être officiellement quitté ses fonctions, mais on peut aujourd'hui sérieusement se demander si son système est demeuré bien en place.

On sait, en tout cas, qu'un des membres de la famille de monsieur Dupuis, son frère Evans, a récemment réussi à accéder à la direction d'une des sections locales de la FTQ-Construction, l'Union des opérateurs de machinerie lourde-secteur grutier (local 791-G). Evans Dupuis a le droit de gagner sa vie comme n'importe qui. Mais, vue de l'extérieur, sa nomination a des allures de népotisme et certains se demanderont si le frère plus connu se trouve toujours dans les parages.

Une chose est sûre, Jocelyn Dupuis est l'agent du statu quo dans l'industrie de la construction, celui qui se plaît bien dans le système actuel, qui en soutire tous les avantages possibles et qui refuse tout changement.

Malheureusement pour les Jocelyn Dupuis de ce monde, leurs récentes frasques médiatisées ont contraint les autorités politiques à agir pour entreprendre un ménage dans l'industrie québécoise de la construction.

Devant les scandales de l'industrie qui se retrouvent quotidiennement dans les journaux et à la télé, une des actions concrètes entreprises par l'ex-gouvernement de Jean Charest en vue de calmer une opinion publique furieuse sera de s'attaquer au placement syndical sur les chantiers québécois.

Le cas d'un certain Rambo, qui a aussi été popularisé par l'émission *Enquête* de Radio-Canada, a choqué bien des gens. Ce syndicaliste qui joue aux gros bras sur la Côte-Nord est devenu le symbole du malaise qui règne dans cette industrie où l'intimidation et la corruption semblent devenues la norme.

Par crainte de perturber la « paix sociale », les libéraux n'oseront pas s'attaquer, à court terme en tous les cas, à la syndicalisation obligatoire de l'industrie qui y pourrit les relations de travail.

Ne voulant cependant pas être accusé de laxisme, le gouvernement devait agir. Il s'en est donc pris au placement syndical. Ce placement est en fait un système de référence pour les donneurs d'ouvrage, particulièrement sur les grands chantiers. Si, par exemple, un entrepreneur a besoin de 25 ferblantiers sur un chantier, il demande aux cinq syndicats de lui fournir des noms de ferblantiers présentement disponibles dans sa région. Le syndicat dominant dans la région ou pour ce corps de métier va souvent imposer certains employés jugés indésirables ou improductifs. Ce même syndicat oblige le donneur d'ouvrage à n'employer que ses membres.

Autre fait intéressant inclus dans le projet de loi : les syndicats de la construction auront dorénavant l'obligation de rendre publiques certaines informations financières. C'est le ministère du Travail qui déterminera les questions auxquelles les syndicats devront répondre dans leurs déclarations publiques. Tous les membres du syndicat devront quant à eux recevoir copie des états financiers vérifiés du syndicat. Il reste à voir si les syndicats seront enfin contraints de dévoiler quelle partie sert à l'activisme politique par rapport à ce qui sert à la négociation des conditions de travail.

Dans un autre scandale survenu sous le précédent gouvernement péquiste, impliquant justement les syndicats et le Fonds de solidarité de la FTQ, le rapport du juge Robert Lesage sur le scandale de la Gaspésia estimait, en 2005, irréaliste d'abolir purement et simplement le placement syndical. Il recommandait de conserver un système de placement encadré où les syndicats et la CCQ pourraient se concurrencer pour répondre aux besoins des employeurs de la construction.

Après avoir constitué un groupe de travail sur l'industrie de la construction, les libéraux demandèrent donc, dans un premier temps, à la CCQ de constituer un système alternatif de placement syndical afin de donner suite à la principale recommandation de ce groupe de travail. Avant l'arrivée de Diane Lemieux à la tête de la CCQ en 2011, pratiquement rien ne fut fait. En fait, le prédécesseur de madame Lemieux, André Ménard, avait entrepris la mise en place du système en question, mais le projet avait été plus ou moins abandonné à la suite de pressions de la FTQ-Construction. Le syndicat avait notamment paralysé les bureaux de la CCQ pendant toute une journée, en mars 2007, obligeant la CCQ à fermer ses 11 bureaux à travers le Québec et à donner congé à ses 950 employés. La nomination de l'ex-ministre péquiste, en janvier 2011, surnommée à juste titre la lionne de Bourget, a changé de manière drastique les choses. D'abord, personne ne pouvait accuser cette ex-présidente du Conseil du statut de la femme d'être antisyndicale, encore moins libérale.

Le système de placement syndical tel qu'exercé au Québec par les syndicats depuis des années s'apparente à une espèce de mafia. Les syndicats décident qui travaille sur les grands chantiers. Dans certains secteurs ou certaines régions, un seul ou deux syndicats détiennent généralement un monopole sur la main-d'œuvre. C'est un système corrompu à la base, dans sa structure même. Il ne faut pas se surprendre que, près de 40 ans après la Commission Cliche, les noms ont changé, mais le même racket est demeuré.

Les deux plus importants syndicats de l'industrie, la FTQ-Construction et le Conseil provincial du Québec des métiers de la construction (International) sont évidemment ceux qui profitent le plus de l'ancien système.

À titre d'exemple, l'International représentait, en 2010, 98,7 % des calorifugeurs, 95,8 % des monteurs d'acier de structure, 93,3 % des ferrailleurs, 92,2 % des plombiers et 97,1 % des soudeurs haute pression. De l'autre côté, 94 % des mécaniciens en protection incendie, 94,9 % des frigoristes et 91 % des monteurs de lignes provenaient de la FTQ-Construction.

Si vous avez le malheur d'être un donneur d'ouvrage en région qui a besoin de plusieurs gars d'un de ces corps de métier, vous êtes mieux d'être dans les bonnes grâces du syndicat.

C'est le syndicat qui va dicter combien de gars vous allez employer, pendant combien de temps, quand vous les aurez et si ce sont les plus ou les moins productifs qu'on daignera vous envoyer.

Afin de s'assurer d'être appréciés par le syndicat, certains entrepreneurs n'ont d'autres choix, par exemple, que d'investir pour maintenir de bonnes relations avec le représentant syndical de leur région ou du local. On suspecte tous un système d'enveloppes brunes, mais certains ont raffiné leurs techniques pour blanchir le tout. Ainsi, un syndicaliste originaire des Îles-de-la-Madeleine remplit son garage de homards lorsqu'arrive la saison et « invite » les donneurs d'ouvrage à en acheter quelques caisses, à un prix équivalent à plusieurs fois celui du marché. On me confirme que les plus grands amateurs de homards finissent toujours par obtenir plus facilement le nombre de travailleurs dont ils ont besoin et, comme par hasard, les plus productifs se retrouvent sur leurs chantiers.

Et la corruption ne se limite pas juste aux liens entre les entrepreneurs et les leaders syndicaux. Les travailleurs aussi sont mis à contribution, en plus des cotisations obligatoires qu'ils doivent déjà verser. En mars 2012, l'émission *J.E.*, à TVA, révélait également qu'une loterie, un moitié-moitié, permet d'enrichir les leaders syndicaux. Les syndiqués qui s'avèrent être de bons parieurs se retrouvent eux aussi, comme par hasard, à être en tête de liste lorsque vient le temps de se faire référer sur les meilleurs chantiers et, toujours par magie, travailleraient plus de semaines dans l'année.

Exemple, disons « fictif », de Martin, un soudeur haute-pression, syndiqué avec l'International. Toutes les semaines, son représentant syndical passe le voir pour lui offrir de participer à son tirage moitié-moitié à 20 $. Les 100 gars acceptent « volontairement » de donner 20 $ par semaine au syndicaliste. Toutes les semaines, le gagnant du tirage reçoit 1000 $ et les leaders syndicaux se mettent l'autre 1000 $ dans les poches. En échange de ce petit supplément de revenu pour le syndicaliste, Martin et les 99 autres participants au tirage se retrouvent en tête de liste lorsque de bons donneurs d'ouvrage cherchent des gars à embaucher.

Ce n'est donc pas pour rien que le dépôt du projet de loi 33 sur l'abolition du placement syndical a provoqué un tel tollé auprès de la FTQ et de l'International. On menaçait de leur enlever toute une vache à lait.

Tellement furieux, quelques gorilles syndicaux iront mettre la vie de leurs collègues en danger.

Ainsi, le président de la CSD-Construction, Patrick Daigneault, ira expliquer en commission parlementaire que des représentants syndicaux se sont présentés sur un chantier au port de Trois-Rivières et ont coupé les compresseurs qui alimentaient en oxygène les scaphandriers qui se trouvaient sous l'eau. Les plongeurs ont fort heureusement pu remonter à la surface sans problème, mais leur vie fût menacée par des zélés qui voulaient à tout prix fermer un chantier pour manifester contre le projet de loi 33.

L'exemple venait de haut. En octobre 2011, l'émission *J.E.* filmait à son insu le dirigeant de l'International, Gérard Cyr, qui s'autodécrivait devant une assemblée de ses membres comme « le parrain ».

Effectivement, l'International en mène très large dans cette industrie au Québec. C'est le deuxième plus gros syndicat des métiers de la construction, tout juste derrière la FTQ-Construction. Il représente plus de 42 000 des 150 000 travailleurs de la construction au Québec, dont 50 % de ceux qui se trouvent sur les plus gros chantiers, les chantiers industriels.

Dans des menaces à peine voilées, Gérard Cyr est filmé en disant : « Un jour, il va y avoir des élections au Parti libéral, et peut-être, ça va être ma fierté d'avoir autant de monde qu'il y a dans la salle ici, qu'on sera peut-être dans son comté d'Anjou pour la faire débarquer (en parlant de la ministre du Travail de l'époque, toujours députée d'Anjou, Lise Thériault). »

Il promet même de mettre toute l'industrie de la construction « dans la marde » si le projet de loi est adopté en envoyant ses gars de métier à l'extérieur de la province de Québec.

Lorsqu'il s'est présenté en commission parlementaire pour manifester son opposition au projet de loi 33, le 26 octobre 2011, le président de la FTQ, Michel Arsenault, y est allé de déclarations similaires : « Si le projet de loi est passé tel quel, vous allez foutre le bordel dans l'industrie de la construction, et les premiers qui vont aller vous voir – et je ne le dis pas sur le ton de la menace – ce sera les entrepreneurs pour vous dire : "on ne peut plus arriver". » Il en a aussi profité pour traiter la ministre de « soupe au lait ».

La ministre Thériault avait semé la colère du président de la FTQ après avoir montré des coupures de journaux où on voit de jeunes travailleurs de la construction se faire sortir des chantiers par des gros bras de la FTQ et elle a déclaré : « Savez-vous c'est qui, ça? Ce sont des jeunes qui ont 20 ans, 25 ans et 30 ans, qui ont des familles, qui veulent travailler, qui veulent payer leur hypothèque. Que vous les empêchiez de travailler, je trouve ça aberrant. »

La ministre ne se laissera pas intimider par les menaces de toutes sortes, incluant des menaces de mort anonymes, et ira quand même de l'avant avec son projet de loi.

Le gouvernement et la CCQ travaillent présentement à la mise en place d'un nouveau système de placement sous la gouverne de la CCQ. Je ne suis pas ultra-curieux de nature, mais j'aimerais bien qu'un jour quelqu'un au gouvernement ou au syndicat m'explique pourquoi nos donneurs d'ouvrage sur les chantiers ont absolument besoin d'un système de placement. Pourquoi, dans toutes les autres industries, les employeurs sont capables de se trouver de la main-d'œuvre par leur propre moyen ou en appelant dans une agence de placement ou un centre d'emploi?

On nous répond généralement qu'il s'agit d'un cas particulier parce que ce sont des travailleurs spécialisés embauchés pour une courte période de temps. Alors, est-ce qu'ailleurs dans le monde les travailleurs de la construction ne sont pas spécialisés et ne travaillent pas sur différents chantiers pour de courtes périodes? Nos gars ne sont pas plus nonos que les autres et, il me semble, n'ont pas besoin de maman CCQ ou de papa syndicat pour leur dire où et quand aller travailler.

Chez nos voisins américains, seulement 13 % des travailleurs de la construction sont syndiqués et pourtant, les chantiers roulent rondement, n'ont pas nos dépassements de coûts et nos délais supplémentaires. Malgré ce que les syndicats prétendent, la qualité du travail des gars syndiqués versus ceux non syndiqués est identique selon l'Association américaine des constructeurs et des entrepreneurs. Des agences de placement privées existent et permettent aux travailleurs qui le souhaitent de travailler sur des grands chantiers, sans que les contribuables aient à payer pour ça.

Heureusement, les temps changent peut-être au Québec.

Les travailleurs de la construction démontrent possiblement les premiers signes vraiment tangibles de leur malaise devant la domination syndicale dans leur industrie. Tous les quatre ans, les syndiqués de la construction au Québec sont appelés à « choisir » leur allégeance syndicale, parmi les cinq syndicats reconnus.

À la surprise de plusieurs, lors du dernier vote, en juin 2012, le Syndicat québécois de la construction (SCQ) a augmenté ses effectifs de 4124 membres et en compte maintenant 10 439. La SCQ est l'organisation syndicale la moins militante, la moins politique et la moins chère de l'industrie en termes de cotisations syndicales.

Reste à voir ce que la Commission Charbonneau recommandera et si des travailleurs de la construction oseront briser la loi du silence qui règne pour changer les mœurs douteuses de cette industrie.

On dit souvent quand la construction va, tout va. Présentement, le syndicalisme de la construction ne va pas du tout et rien ne va plus dans le syndicalisme au Québec.

# 12
## DES SOLUTIONS CONCRÈTES

Pour moderniser nos relations de travail, plusieurs possibilités s'offrent à nous.

Évidemment, on peut s'entêter à regarder dans le rétroviseur et répéter les erreurs du passé. Les syndicats ayant reproché pendant des années à Maurice Duplessis de refuser le progrès ont adopté aujourd'hui pratiquement le même discours que celui qu'ils pourfendaient hier.

À titre d'exemple, à l'été 2011, le Syndicat des employés d'Hydro-Québec lançait une campagne publicitaire à grand déploiement pour dénoncer l'implantation des compteurs de lecture à distance.

Fini les petits messieurs qui se promènent, crayons à la main, dans votre cour, pour venir relever la consommation d'électricité sur votre compteur. Exit aussi certains commis de bureau qui brassent des papiers pour transcrire tout ça sur vos factures mensuelles.

Hydro-Québec nous promet maintenant 3,8 millions de compteurs intelligents flambant neufs qui mettent à profit les technologies de l'informatique, de l'électronique et des télécommunications, où tout se transmettra virtuellement.

Nos valeureux leaders syndicaux s'inquiètent de l'évolution vers cette ère numérique qui entraînera la perte, dans leurs coffres, des cotisations de 800 employés syndiqués, au profit, entres autre choses, de jeunes travailleurs autonomes en informatique.

On s'inquiète vite quand on reçoit « juste » entre 800 millions $ et 1 milliard $ en cotisations syndicales obligatoires à chaque année...

Pourtant, des gens qui perdent leur emploi parce que des métiers disparaissent, ça arrive tous les jours dans le secteur privé non syndiqué. Les jeunes d'aujourd'hui ne connaîtront jamais ça entrer dans une usine à 18 ans et en ressortir 45 ans plus tard avec une grosse pension pis une belle montre ou une horloge en appréciation de leurs longs et loyaux services. Elles n'auront pas de lobby milliardaire, ces générations futures, pour maintenir artificiellement des emplois inutiles. Elles devront se revirer de bord et changer de carrière en moyenne aux cinq ans et même retourner se recycler sur les bancs d'école à quelques occasions.

Des dinosaures syndicaux qui s'opposent à tout progrès technologique, on appelle ça des luddites. Ça vient du nom d'un mythique ouvrier anglais, Ned Ludd, qui vers 1780, détruisit des métiers à tisser.

Lors de la révolution industrielle en Angleterre, en 1811, les syndicats orchestrèrent eux aussi la destruction massive des métiers à tisser afin de tenter de sauver les jobs de certains artisans de l'industrie du textile, notamment les tondeurs de draps, les tisserands sur coton et les tricoteurs sur métiers.

Armés et masqués, ces luddites attaquaient des fabriques la nuit pour saccager les « machines modernes ».

Quelle sera la prochaine grande bataille syndicale d'arrière-garde? Les femmes de ménage contre les aspirateurs? Celle des pelleteurs contre la souffleuse à neige? Des dactylographes contre l'ordinateur? Peut-être des éleveurs de chevaux contre la voiture? Ou des vendeurs de glace contre les congélateurs?

Les centrales syndicales québécoises forment un lobby idéologique antipatronal, même quand le patron c'est l'État, et ne se soucient aucunement de la capacité de payer des contribuables ou des consommateurs. Mais peuvent-ils minimalement choisir leurs combats?

Mon intention n'est, certes, pas ici de défendre la société d'État Hydro-Québec. Pas besoin d'argumenter longtemps pour me convaincre de sa mauvaise gestion et de sa surbureaucratisation. J'ai rédigé mon mémoire de maîtrise en faveur de sa privatisation dès 1995.

Ce qui m'étonne toujours, cependant, c'est qu'on accole encore l'étiquette de « progressiste » à cette gauche rétrograde qui lutte trop souvent contre le progrès. Appelons un chat, un chat. Nos leaders syndicaux d'aujourd'hui ont des allures de réactionnaires.

Nos politiques publiques qui les protègent sont tout aussi archaïques. Plutôt que de regarder derrière, on devrait pourtant regarder droit devant.

Voici donc une liste non exhaustive de solutions qui permettraient aux syndicats de cesser d'être des organisations qui nuisent à ceux qu'ils sont censés représenter, tout en redonnant sa liberté au travailleur québécois. Bref, neuf solutions d'avenir pour moderniser le syndicalisme québécois et le faire enfin entrer dans le 21e siècle.

## 1 Abolir la formule Rand

Après un demi-siècle de taxation syndicale, il est grandement temps que nos gouvernements aient le courage d'abolir cette formule Rand qui oblige tous les travailleurs de certaines industries à payer des cotisations syndicales, même lorsqu'ils ne sont pas membres du syndicat. Cela ne signifierait pas pour autant la disparition des syndicats. Au contraire, si ces derniers font le travail qu'attendent d'eux leurs membres cotisants, ils continueront d'en recueillir le soutien dans un système syndical libre.

Lorsque le juge Ivan Rand avait rendu sa décision, il avait bel et bien précisé que cette obligation de cotisations ne s'appliquerait qu'à quelques entreprises types et non à toutes les entreprises syndiquées.

Au fil des ans, malheureusement, elle s'est répandue partout, pour tous, comme une trainée de poudre. Ce serait la première et la plus importante réforme à faire pour un gouvernement qui souhaite rétablir la liberté d'association des travailleurs québécois.

## 2 Permettre le libre choix dans l'utilisation des cotisations syndicales

À défaut d'avoir le courage d'abolir la formule Rand, le gouvernement pourrait minimalement permettre à tout travailleur d'arrêter de financer l'activisme politique de son syndicat.

Un ouvrier peut parfaitement déléguer à un tiers son pouvoir de négociation dans le dossier de ses conditions de travail en échange d'une cotisation. Il est normal qu'en contrepartie un travailleur veuille savoir comment et à quelle fin son argent est utilisé. Ce qu'il veut, c'est que le syndicat négocie ses conditions. Pourquoi devrait-il obligatoirement supporter financièrement l'activisme politique et l'action partisane de son syndicat?

Si un travailleur décide qu'il ne veut pas que son argent finisse dans les rues de Montréal à encourager des anarcho-communistes ou à financer des activiste antisionistes, c'est son choix! C'est son droit! C'est l'argent qu'il a gagné. Et cet argent ne devrait en aucun cas être détourné vers des causes ou des organisations qui font la promotion des idées contraires aux siennes. Chacun, individuellement, doit avoir la liberté de choisir à quoi sert sa cotisation.

Sans transparence, on ne sait pas exactement quel pourcentage de cette cotisation sert à financer l'activisme politique, ni quelle partie va en fonds de grève ou en négociation.

L'établissement de cette liberté fondamentale est primordial. D'ailleurs, on ne joue pas dans le nouveauté lorsque l'on parle de liberté de choix : les États-Unis et les pays membres de l'Union européenne le font déjà. C'est à notre tour de nous mettre à niveau.

### 3 Instaurer le scrutin secret pour l'accréditation syndicale et son maintien

En 2007, la Saskatchewan décidait que c'en était fait de la possibilité de syndiquer des gens sans d'abord avoir recours systématiquement à un scrutin secret. Le château-fort de la social-démocratie au Canada, le pays du fondateur du CCF de Tommy Douglas, avait le seuil le plus faible au pays pour déclencher un processus d'accréditation, avec seulement 25 % des employés signataires d'une carte d'adhésion. Le Québec vient donc malheureusement de lui ravir ce titre peu enviable de législateur prosyndical le plus dinosauresque!

Il faut abolir au plus vite cette possibilité de syndiquer des gens simplement avec la signature de cartes, sans vote démocratique. Qu'est-ce que nous attendons pour redonner le pouvoir de décision aux travailleurs? Il ne faut pas oublier que le syndicat a une place si, et seulement si, les travailleurs le veulent. Il ne devrait pas s'imposer et s'incruster dans une industrie à l'insu ou à l'encontre de la volonté des travailleurs. Cela va carrément à l'opposé d'une saine démocratie syndicale.

Avec notre système actuel, nous encourageons l'intimidation syndicale envers les travailleurs. En approuvant l'accréditation par un vote secret, le syndicat ne pourrait plus aller menacer les travailleurs à leur domicile, ou leur promettre de fausses augmentations de salaire. Syndicat et patronat pourront informer les travailleurs sur leurs positions respectives quant à ces accréditations, puis ensuite le travailleur sera protégé dans son anonymat.

Le gouvernement du Québec doit donc amender le Code du travail pour exiger la tenue d'un scrutin secret, administré par un organisme indépendant, avant d'accréditer quelque syndicat que ce soit. Il doit également réclamer le même critère démocratique pour maintenir ou non cette même accréditation et pour la tenue d'un vote de grève ou d'approbation d'une convention collective.

### 4 Exiger plus de transparence syndicale et une divulgation financière

S'il y a une chose qu'il faut faire en tant que société, c'est bien d'exiger plus de transparence dans les bilans financiers des syndicats. Nos voisins américains le font depuis déjà plusieurs années et ils en ressortent aujourd'hui gagnants. Plus de 100 millions $ de leurs cotisations utilisées de manière inappropriée ont été remis aux travailleurs ces dernières années.

Pourquoi pensez-vous que les centrales ont engagé des firmes de lobbying pour empêcher l'adoption des différents projets de loi qui visaient à apporter plus de transparence? Ils ont peur qu'on découvre quoi au juste? L'obligation de transparence devrait d'ailleurs être rétroactive et remonter en arrière de plusieurs années pour que l'on voit jusqu'où la corruption syndicale s'est étendue (si corruption il y a eu).

Qu'arriverait-il si on s'apercevait qu'une part bien trop élevée des cotisations va vers l'activisme politique, privant les travailleurs d'un meilleur fonds de grève? Ou encore qu'une part va à payer frauduleusement des «gâteries» aux différentes personnes bien placées dans le syndicat?

La réponse : une baisse marquée du taux de syndicalisation et la naissance d'un syndicat honnête, transparent, qui s'en tient à sa raison d'être.

Est-ce trop demander que de vouloir savoir où va l'argent?

Le gouvernement doit exiger une divulgation des états financiers des syndicats et les vérifier tous les ans. Cette information doit être donnée aux travailleurs, mais aussi être accessible à tous, de manière anonyme, sur le site du ministère du Travail.

## 5  Abolir les dispositions anti-travailleurs de remplacement

Après plus de 35 ans, la loi sur les travailleurs de remplacement doit être abolie purement et simplement. Aucune autre juridiction, mise à part la Colombie-Britannique, n'a adopté une telle mesure.

Quand on se compare aux 58 autres provinces ou États nord-américains, on peut maintenant évaluer l'impact réel de cette loi qui n'a pas eu pour effet de réduire le nombre de conflits, ni de pacifier les grèves ou les lock-out.

Refusant d'admettre cette réalité, les syndicats poussent pour donner encore plus de dents à une loi qui rend déjà le Québec moins concurrentiel. Ils souhaitent aujourd'hui étendre son application à l'extérieur du lieu de travail pour ainsi empêcher l'employeur de faire travailler des contractuels ou des sous-contractants en dehors de ses murs.

Le gouvernement a cédé un pouce, les syndicats veulent un pied. L'heure est venue de redonner aux employeurs québécois des conditions comparables à celles de pratiquement tous leurs concurrents ailleurs sur le continent.

## 6 Rouvrir les conventions collectives

Au Wisconsin, le gouverneur a eu le courage de combattre les syndicats et en est sorti vainqueur. Cela même si les syndicats ont tout fait pour le faire disparaître de la scène politique. Qu'a-t-il fait de si grave? Il a rouvert les conventions collectives des employés de la fonction publique afin de, notamment, revoir la sécurité d'emploi absolue et blindée et afin d'offrir des régimes de retraite mieux adaptés à la capacité de payer des contribuables, tout en étant plus équitables pour les générations futures.

Le gouvernement québécois qui entreprendra ce chantier pour rétablir l'équité entre les travailleurs du secteur public et parapublic versus ceux du secteur privé aura besoin d'une dose de courage similaire.

On parle fréquemment de justice sociale dans notre société et les syndicats s'en font les grands défenseurs. Le temps est venu d'assurer justement cette justice sociale entre ceux qui profitent de façon exagérée de la générosité de politiciens qui achètent des votes avec notre argent et les générations futures qui méritent mieux.

N'attendons pas d'être au bord de la faillite comme le Wisconsin ou que nos créanciers frappent à la porte pour nous obliger à faire le ménage. Agissons proactivement, pendant que nous en avons encore la chance.

## 7 Un débat sur l'exclusion de la fonction publique

La syndicalisation de la fonction publique, c'est possiblement un de ces problèmes qui nous handicape en tant que nation, mais dont personne ne se préoccupe. Simplement soulever la question crée un immense malaise. Certains employés profitent vraisemblablement de conditions que les contribuables québécois n'ont simplement pas les moyens de payer. Pourquoi? Ces employés du secteur public sont en position de force. Ils tiennent le gros bout du bâton dans les négociations avec le gouvernement et obtiennent un traitement beaucoup plus avantageux que les contribuables qui les paient.

Même l'ex-président américain Franklin D. Roosevelt, un syndicaliste dans l'âme, ou Jean Lesage, le premier ministre québécois de la Révolution tranquille, affirmaient qu'il était impensable de laisser la fonction publique se syndiquer. Il y a trop de conflits d'intérêts. Le danger de paralyser le gouvernement et la nation est trop grand.

Devrons-nous attendre que la situation empire, le jour où la dette sera trop lourde et qu'il faudra revoir à la baisse les salaires et les conditions de travail des fonctionnaires? Aurons-nous droit à des crises à n'en plus finir, comme on le voit ces dernières années en Grèce? Assisterons-nous à des grèves illégales tous azimuts et à un Québec privé de ces services essentiels?

On s'offusque souvent, dans la vie de tous les jours, à propos d'un paquet d'enjeux de société. On lance alors des phrases comme : « Comment ont-ils pu laisser passer ça? », « Pourquoi personne n'a réagi? », « Avoir su, j'aurais fait quelque chose. » C'est probablement ce que diront nos enfants, nos petits-enfants ou nos arrière-petits-enfants si on ne limite pas l'accès des syndicats à la fonction publique.

Après un demi-siècle, il serait grandement temps d'enfin ouvrir un large débat sur l'impact de la syndicalisation de notre fonction publique et d'évaluer quelles sont les alternatives.

## 8 Abolir R-20 dans le domaine de la construction

La syndicalisation devrait absolument être un choix et non une obligation. Personne ne devrait être obligé de se syndiquer s'il choisit librement de ne pas l'être. Or, la loi R-20 fait le contraire : elle oblige les travailleurs de la construction à se syndiquer avant même de chercher un emploi.

Le choix doit revenir à nos ouvriers sur les chantiers. Pourquoi, ici au Québec, les choses doivent-elles toujours être plus compliquées? En Ontario et même aux États-Unis, la liberté de choix est donnée à chaque travailleur.

La compétence doit prévaloir. Ce critère doit être le premier pris en compte lorsqu'il est question de parler de travail.

## 9 Rétablir l'équité fiscale

Pour que cesse ce favoritisme éhonté en faveur des syndicats qui donne l'impression que les politiciens achètent l'appui de ceux-ci, le gouvernement doit dorénavant les traiter comme toutes les autres organisations sur le plan fiscal.

Ainsi, les cotisations syndicales doivent cesser d'être déductibles d'impôt et les revenus octroyés par les syndicats aux employés en conflit de travail à titre d'indemnités de grève doivent devenir imposables. Si un travailleur achetait une assurance revenu d'une compagnie privée d'assurance pour couvrir, en tout ou en partie, ses pertes pendant un conflit de travail, son revenu en période de grève ou de lock-out serait imposable. Au nom de quoi est-ce que le gouvernement refuse d'imposer ce même type de revenus lorsqu'il provient d'un syndicat? C'est comme si un gouvernement de droite voulait exempter les entreprises en lock-out de payer de l'impôt. Ce serait tout aussi inadmissible parce que le gouvernement prendrait ainsi partie dans un conflit où il ne doit démontrer aucun parti pris.

De plus, le Fonds de solidarité de la FTQ et le Fondaction de la CSN doivent cesser de jouir d'un crédit d'impôt extraordinaire, alors que ce qu'ils font avec cet argent n'a absolument rien d'extraordinaire. D'autres fonds de gestion reproduisent pratiquement le même type d'investissements, sans jouir d'un traitement fiscal particulier. Ces fonds réinvestissent l'argent épargné par les travailleurs dans des entreprises d'ici et d'ailleurs comme bien d'autres fonds et, en plus, ils offrent des rendements médiocres quand ces fonds ne servent pas à faire carrément de la politique.

L'ensemble de ces trois mesures démontrerait enfin une véritable neutralité de l'État sur le plan fiscal vis-à-vis les syndicats.

## Ce que VOUS pouvez faire

En attendant que nos politiciens trouvent la dose de courage nécessaire pour entreprendre ces réformes essentielles, sans lesquelles pratiquement aucun changement substantiel et positif ne pourra se produire au Québec, vous tous pouvez apporter votre contribution, votre goutte d'eau dans la mer, votre petit geste qui semble insignifiant, mais qui peut faire bouger des gouvernements amorphes lorsqu'on s'y met à coup de dizaines de milliers. On a laissé gérer le dossier des relations de travail par nos politiciens au Québec depuis trop longtemps. Il est temps de se retrousser les manches, de se cracher dans les mains et de se battre nous-mêmes pour récupérer notre liberté de travailleur.

### 1 Changer notre attitude

L'attitude de la société québécoise envers les employeurs est à revoir. Une entreprise, quelle qu'elle soit, n'a pas pour mission d'exploiter de pauvres travailleurs. Le lien qui unit l'employé à l'employeur en est un d'équipe pour produire des biens ou des services de la meilleure qualité et au meilleur coût. La concurrence féroce doit être avec les autres entreprises d'ici ou d'ailleurs, pas entre le boss et le syndicat. Mon patron n'est pas mon ennemi. Il ne veut pas me rabaisser ou m'appauvrir. Il souhaite maximiser son actif et faire croître son entreprise. On a mutuellement avantage à travailler main dans la main pour prospérer ensemble. Chacun des travailleurs que nous sommes doit assimiler cette simple réalité économique pour ensuite la promouvoir dans un Québec où on associe automatiquement encore trop souvent le boss à un exploiteur étranger qui fait de l'argent sur notre dos.

## 2 Briser le silence

Vous êtes des centaines de milliers, voire même des millions, partout à travers le Québec, à comprendre que le syndicalisme d'une autre époque nous appauvrit. Plusieurs ont peur, à juste titre, de s'exprimer publiquement, par crainte de perdre leur travail, d'être marginalisé ou pointé du doigt. Avec les médias sociaux, nous avons la chance aujourd'hui de nous exprimer sur de multiples tribunes anonymement. Expliquez en long et en large vos opinions. Apportez à l'attention de tous les cas d'abus, de gaspillage ou de corruption de votre syndicat. Utilisez ce nouvel espace de liberté d'expression pour vous faire entendre haut et fort. Les syndicats peuvent vous condamner à l'anonymat, mais ils ne peuvent plus vous réduire au silence.

## 3 Profiter de chacune des occasions pour interpeller vos élus

Nos lois du travail doivent être revues, vous êtes probablement d'accord là-dessus. La plupart de nos élus le savent aussi. Ils restent pourtant les bras croisés parce qu'ils s'imaginent que s'ils disent tout haut ce qu'ils pensent, ils viennent de se mettre une large partie de leur électorat à dos. Le jour où ils réaliseront qu'il est, au contraire, possible de gagner une élection en s'attaquant au corporatisme syndicale, plusieurs sortiront spontanément du placard. Faites-vous politiquement entendre! Ceux d'entre vous qui ont plus de temps choisiront de s'activer directement dans un parti, auprès d'un candidat ou dans une organisation citoyenne. Les autres peuvent signer des pétitions, répondre à des sondages, interpeller les candidats qui se pointent à leur porte aux élections ou rendre visite à leurs élus. Ceux-ci doivent sentir que notre appui est conditionnel à leur volonté de changement et que cela commence par le rééquilibrage des forces en matière de relations de travail.

## 4  Investir les syndicats

Les plus téméraires d'entre vous peuvent aussi tenter de reprendre le contrôle de leur syndicat de l'intérieur. Servir de cheval de Troie. Vous pouvez tenter, sans trop attirer l'attention des hauts dirigeants de votre centrale, de vous faire élire dans les structures et prendre le contrôle d'une association locale. Vous pouvez alors essayer de vous désaffilier de cette centrale. Même si vous ne parvenez pas rapidement à vos fins, vous conscientiserez certainement un grand nombre de vos collègues au dysfonctionnement syndical dans votre milieu de travail, tiendrez occupés vos grands dirigeants syndicaux et démontrerez publiquement que le mouvement syndical se divise de l'intérieur.

## 5  Sortir des emplois syndiqués

Voici le cas d'un professeur qui m'écrivait récemment : « Je suis un MÉCHANT enseignant qui a choisi de TRAVAILLER dans une école PRIVÉE, car le PUBLIC avait un fonctionnement beaucoup trop contraignant avant de m'offrir un poste (faire x nombre d'heures de suppléance + x nombre de contrats avant d'avoir un numéro qui m'octroie une place sur une liste qui me permettra, à mon tour, d'attendre et d'espérer un contrat qui variera en fonction de ce qui reste et qui m'amènera donc à enseigner à des niveaux différents, dans des écoles différentes durant une dizaine d'années...) Bref, j'ai choisi de TRAVAILLER et je le fais à temps plein, avec un poste permanent, sans sécurité d'emploi, sans compter mes heures, en étant évalué à chaque année, sans avoir de fonds de pension, mais en exerçant le métier que j'ai choisi et en me considérant bien chanceux de le faire dans un milieu aussi stimulant! » Peu importe le métier, vous pouvez trouver un job non syndiqué qui vous apportera davantage de fierté professionnelle et des conditions plus humaines, davantage en harmonie avec vos principes.

Ce ne sont là que quelques exemples de ce que vous pouvez faire, mais le message principal est que vous ne pouvez rester passifs devant ce qui se passe présentement au Québec. Vous, comme nos élus, avez un devoir de prendre le bâton du pèlerin pour libérer le travailleur du syndicat.

# 13

## CONCLUSION : REMETTONS LES SYNDICATS À LEUR PLACE

Les syndicats devront se préparer à se battre. Déjà leurs effectifs pourraient, malgré leurs privilèges, diminuer considérablement au cours des prochaines années. La nouvelle génération de travailleurs n'est simplement pas encline à être syndiquée. La transformation de notre économie fait en sorte que les secteurs fortement syndiqués sont appelés à décliner, tandis que les travailleurs autonomes et les micro-entreprises fleurissent déjà et fleuriront encore davantage. Les syndicats, tels des dinosaures nostalgiques du bon vieux temps, mènent désormais un combat non plus contre le vilain patronat, mais bien plutôt contre le progrès. Protéger les emplois des anciens contre l'arrivée des modernes. Des néo-luddites. Autant le passage d'une économie agricole à une économie industrielle aura contribué à faire croître les effectifs syndicaux, autant le passage d'une économie industrielle à une économie du savoir aura l'effet inverse.

J'en suis personnellement arrivé à la conclusion qu'aucun changement majeur et signifiant ne pourra s'opérer au Québec, tant et aussi long-temps que nous n'aurons pas remis les syndicats à leur place : soit celle de défendre les travailleurs et non pas de tenter d'imposer une idéologie financée par une taxe obligatoire sur le travail, ni de ralentir le passage à l'économie de demain. Si un gouvernement ambitionne de moderniser le Québec et d'entreprendre une réforme de quelque nature que ce soit, il faudra d'abord libérer les travailleurs québécois du joug syndicalo-corporatiste. C'est un passage obligé!

Le modèle syndical québécois s'avère particulièrement désastreux pour une nouvelle génération à la recherche de son premier emploi. Les jeunes auront à payer, dans le futur, pour l'irresponsabilité de ceux qui les ont endettés dans le passé. Libérons-les au moins aujourd'hui du fardeau d'avoir à soutenir en plus l'oligarchie syndicale et ses mesures antisociales.

Certains croient que les grandes centrales sont capables de faire preuve d'autocontrôle ou de s'autoréglementer.

Jérôme Lussier, ex-chroniqueur et blogueur à *Voir*, y allait récemment de cette intéressante analyse. Il déplorait certaines déclarations des leaders syndicaux québécois qui avouaient ouvertement ne pas avoir de compte à rendre à ceux et celles qui ne cotisent pas et qu'ils se fichent de l'opinion publique.

Il rappelait l'essai de Michael Tomasky. Ce démocrate américain lançait un cri du cœur à la gauche à une époque pas si lointaine aux États-Unis, où George W. Bush trônait en tête dans les sondages, alors que les républicains dominaient le Sénat et la Chambre des représentants. Il invitait les groupes d'intérêts de gauche, en premier lieu les syndicats, à complètement modifier leur façon de faire afin de défendre désormais le bien commun, plutôt que celui de leurs simples membres.

Jérôme Lussier écrit : « L'idée-maîtresse de Tomasky était aussi simple que puissante : pour retrouver sa vigueur et sa cohérence, la gauche américaine ne devait plus se contenter d'être un ramassis disparate de groupes aux visées étroites — féministes, syndicalistes, universitaires, artistes, etc. — chacun défendant ses intérêts envers et contre tous. Elle devait, au contraire, se repositionner comme défenderesse du véritable "bien commun" et exiger de ses différents adhérents qu'ils justifient leurs demandes en fonction de cet intérêt public général, plutôt qu'en fonction de la défense de certains droits ou certains acquis particuliers. »

Ça me rappelle quelques discours et écrits de mon ami Jean-François Lisée qui allait dans le même sens lui-aussi, il y a quelques années, notamment dans son essai sur la gauche efficace.

J'aimerais avoir autant d'idéalisme que Tomasky, Lussier et Lisée, être capable de m'illusionner à l'effet que les syndicats québécois peuvent se moderniser d'eux-mêmes dans l'intérêt de tous.

Trop lucide ou pessimiste, j'en suis cependant incapable. Je considère que nos leaders syndicaux sont des êtres rationnels qui choisissent leur bien-être plutôt que celui de l'ensemble de la société dans laquelle ils évoluent. Pratiquement toutes les actions récentes des syndicats nous le prouvent. Et je ne pense pas que ce soit Michel Arsenault, Louise Chabot ou Jacques Létourneau le problème, ou enfin si peu.

On peut tous les remplacer demain matin et trois autres, pratiquement identiques, leur succèderont.

Le problème est structurel. Tant qu'on accordera des avantages et des privilèges démesurés à ce type d'organisations, nous serons tous victimes de leurs abus.

On ne met pas un enfant sans surveillance devant un plat de bonbon pour ensuite s'étonner qu'il a pigé dedans. Ces syndicats profitent du régime actuel. Ils ne souhaitent pas le changer parce qu'ils perdraient leurs nanans. C'est aussi simple que ça.

Aussi longtemps que nos élus accepteront d'adopter des lois du travail déséquilibrées qui permettent aux syndicats de prendre la population, les employeurs et le gouvernement en otage, ces organisations abuseront du pouvoir ainsi conféré.

Si des politiciens ont concédé, comme le déplore judicieusement Jérôme Lussier, des régimes de pensions à prestations déterminées, des critères d'ancienneté et d'autres « acquis » qui consacrent un système à deux vitesses au dépend d'une vaste majorité de travailleurs, c'est parce que ces gouvernements négociaient avec un fusil sur la tempe ou parce que le syndicat les tenait par les bijoux de famille.

On peut bien souhaiter que les syndicats mettent leurs intérêts corporatistes de côté, comme on peut souhaiter que des politiciens ne cherchent pas à se rendre plus populaires ou souhaiter que des gens d'affaires veuillent faire moins d'argent au profit de leurs clients. Ces bonnes intentions font peut-être de bonnes fictions romantiques, mais de très mauvaises politiques publiques.

Dans l'actuel réveil d'une nouvelle droite politique québécoise, l'un des principaux points de ralliement et de motivation demeure notre aversion pour cette mainmise de nos syndicats sur le politique ou l'économique et notre volonté de renverser ce régime, sans verser dans le rêve que tout peut se régler par magie. Il faudra se soulever. La lutte sera ardue. Les syndicats nous attendent armés jusqu'aux dents. Mais la bataille politique en vaut la chandelle.

Libérons le Québec de ces syndicats antichangement, antiprogrès, antiproductivité et, globalement, antitravailleur!

À chaque fois que j'attaque les faiblesses du « modèle québécois », il se trouve toujours quelques hurluberlus pour m'inviter à déménager au

Texas ou en Alberta si l'emprise syndicale et l'idéal gauchiste ne me conviennent pas. Heille chose! Cet argument-là me semble aussi fort que si j'invitais tous les syndicalistes, les péquistes et les autres gauchistes à déménager à Cuba ou en Corée du Nord.

J'en ai assez de me faire dire que je n'aime pas le Québec parce que je m'inscris en faux contre l'idéologie syndicalo-péquiste. Je l'ai souligné sur le plateau de *Tout le monde en parle* avec Jean-François Lisée, en janvier 2012, et je tiens à le réitérer ici : c'est justement parce que j'aime le Québec que je refuse de le laisser aux mains de ceux qui gouvernent présentement.

Certains fidèles sont tellement convertis au corporatisme syndical qu'ils s'imaginent qu'un Québécois ne peut qu'être un gauchiste défenseur de son « modèle québécois », comme à une certaine époque où il fallait être un bon catholique pour appartenir à la nation canadienne-française.

D'ailleurs, une des plus récentes dérives du mouvement souverainiste québécois est justement d'être devenu tellement otage de ce discours syndical que de plus en plus de ses porte-paroles justifient la nécessaire souveraineté par le besoin d'avoir un projet social différent de celui du Canada anglais gouverné par le premier ministre conservateur Stephen Harper. Les chefs syndicaux réitèrent périodiquement leur foi souverainiste à la condition qu'il s'agisse bel et bien d'un Québec de gauche, avec plus d'intervention de l'État et plus de travailleurs obligatoirement syndiqués. Ils souhaitent l'indépendance du Québec pour rendre les travailleurs québécois plus dépendants des syndicats. Quel paradoxe!

Pour paraphraser mon ami, le philosophe Frédérick Tétû, et clore sur une note positive, j'ajouterais que ce qui me permet de garder espoir malgré tous les problèmes qu'on peut identifier dans la société québécoise d'aujourd'hui, c'est ce qu'il appelle l'héritage de la Révolution tranquille. Pour lui, la Révolution tranquille, son héritage, ce n'est pas des briques et du mortier, ce ne sont pas des programmes sociaux mur à mur et inefficaces. Ce ne sont pas des acquis qui profitent à une minorité syndicale et qui laissent pour compte les autres citoyens.

Je nous souhaite de retrouver le plus rapidement possible cet esprit pour remettre les syndicats au service de tous les travailleurs québécois.

214, avenue St-Sacrement
Entrée 3 - Bureau 230
Québec (Québec)  G1N 3X6
Téléphone : 418 266-6166

Imprimé par Solisco